"A riqueza está dentro de você, m
despertar a primeira e neutraliza
uma saga de perseverança e am
Martins empolga nosso espírito cc
dor extraordinário. Ele nos leva à sala de sua casa, onde recebe
seu primeiro aluno, e a partir daí caminhamos com ele até a vitória que não é final. Essa vitória continua se tornando mais valo-
rosa e alimentando a si própria. É a vocação do ensino rompendo
limites e fazendo florescer o empreendedor invejável, hoje tradu-
tor de várias culturas. A trajetória de Carlos Wizard Martins,
vencendo todas as pragas do imobilismo e da descrença, me traz à
memória um momento, de meus tempos de estudante, também
sonhador, em que li, em um dos clássicos ocidentais, uma reflexão preciosa: 'O homem não teria alcançado o possível se inúmeras vezes não tivesse tentado atingir o impossível'."

João Carlos Saad
Presidente do Grupo Bandeirantes de Comunicação

"Não tive ninguém na vida para me ensinar muitas das lições que
Carlos Wizard Martins mostra em *Desperte o milionário que há em
você*. Meu aprendizado, como o do autor, decorreu da necessidade, o que acaba fazendo com que os princípios aqui desenvolvidos se tornem ainda mais valiosos. Ao ler este livro, tive a sensação,
em vários momentos, de que ele estava contando minha própria
história. Ele é, para mim, o registro literário de tudo o que, sem
saber, fiz para alcançar o sucesso. Diante disso, posso assegurar ao
leitor que a fórmula proposta nesta simpática obra, de agradável
leitura, realmente funciona! Parabéns pela iniciativa de colocar no
papel esse 'mapa do tesouro' que tanta falta me fez."

André Saboya
Diplomata
Embaixada do Brasil em Pequim

"O empresário Carlos Wizard é um empreendedor moderno, ousado, criativo e inovador. Transformou sua empresa numa marca valiosa. Este livro ensina como colocar as adversidades a favor do crescimento dos negócios."

Alfredo Setubal
Banco Itaú Unibanco

"O livro *Desperte o milionário que há em você* resume a trajetória de sucesso empresarial do professor Carlos Wizard Martins. Com a força do exemplo de seu autor, ele assume a importância de um manual capaz de motivar qualquer pessoa a dar adeus ao comodismo e, com perseverança, sair dessa situação de viver anonimamente para ganhar e para pagar dívidas. Como ele diz e ensina, 'é preciso empreender para prosperar'! Não basta o ensino do empreendedorismo em sala de aula, assim como não bastam as lições dos manuais de autoajuda. Ambos, todavia, são complementares, pois exigem a prática da escola da vida e o aprendizado com os erros e acertos."

Joseph Safra
Banco Safra

CARLOS WIZARD MARTINS

DESPERTE O MILIONÁRIO QUE HÁ EM VOCÊ

Como gerar prosperidade mudando suas atitudes e postura mental

Gerente Editorial
Alessandra J. Gelman Ruiz

Editora de Produção Editorial
Rosângela de Araujo Pinheiro Barbosa

Controle de Produção
Elaine Cristina Ferreira de Lima

Projeto Gráfico
Neide Siqueira

Editoração
Join Bureau

Revisão
Malvina Tomáz

Capa
Miriam Lerner

Imagem de capa
Magdalena Tworkowska/iStockphoto

Impressão
Prol Gráfica

Copyright © 2012 by Carlos Wizard Martins
Todos os direitos desta edição são reservados à
Editora Gente.
Rua Pedro Soares de Almeida, 114
São Paulo, SP – CEP 05029-030
Telefone: (11) 3670-2500
Site: http://www.editoragente.com.br
E-mail: gente@editoragente.com.br

Dados Internacionais de Catalogação na Publicação (CIP)
(Câmara Brasileira do Livro, SP, Brasil)

Martins, Carlos Wizard
   Desperte o milionário que há em você : como gerar prosperidade mudando suas
atitudes e postura mental / Carlos Wizard Martins. – São Paulo : Editora Gente, 2012.

   ISBN 978-85-7312-783-6

   1. Atitude (Psicologia) 2. Autorrealização 3. Conduta de vida 4. Empresas 5. Felicidade 6. Finanças pessoais 7. Negócios 8. Planejamento empresarial 9. Prosperidade
10. Riqueza 11. Sucesso em negócios I. Título.

12-03632   CDD-650.1

Índices para catálogo sistemático:
   1. Atitude e prosperidade : Sucesso em negócios   650.1

Com estima e admiração, dedico este livro a você

que acredita na capacidade de realização pessoal
e possui no fundo da alma o espírito milionário.

Para prosperar é preciso sonhar.

Agradecimentos

À minha mãe, Hilda, que me ensinou a pensar grande desde a infância.

Ao meu pai, Antonio, por seu exemplo de trabalho e integridade.

À minha querida esposa, Vânia, que ajudou a transformar um desempregado em um empresário.

Aos meus filhos, que ampliam minha capacidade de sonhar a cada dia.

Aos missionários mórmons, que me ensinaram inglês na adolescência.

A todos alunos, professores e amigos franqueados, por serem fonte constante de inspiração e motivação para esta obra.

Sumário

Prefácio

O rganizar-se, planejar, poupar e construir um patrimô- nio são os testes mais difíceis na vida de um indivíduo. Não é à toa que poucos conseguem conquistar essa disciplina e chegar ao topo. Carlos Wizard Martins, amigo de longa data, reúne neste livro as sábias lições que ele aprendeu na própria jornada rumo à prosperidade. Em gratidão a tudo o que alcançou, com esta obra ele poderá dividir seus ensi- namentos valiosos com aspirantes a milionários, oferecendo orientações certeiras para o sucesso, pois a vida é muito curta para a desperdiçarmos com tentativas fracassadas.

Sempre acreditei que, se temos um sonho, precisamos persegui-lo e dar o máximo de nós mesmos para concretizá-lo. Meu espírito sempre foi assim: eu via a oportunidade e não hesitava, colocava meu plano em prática e me arriscava. Pode ser que você venha a falhar alguma vez, mas, até na crise, você aprende. Logo no primeiro capítulo, Carlos relata sua expe- riência de ser demitido aos 30 anos e ficar sem saber que rumo tomar, com contas a pagar e família para sustentar. Essa é realmente a melhor forma de nos dar um estalo: você tem de sair da sua zona de conforto e ser criativo, empreender, pensar em algo grande. Ele começou a dar aulas particulares de inglês e, de repente, o número de alunos foi aumentando até que ele se viu com uma escola de idiomas formada. E, assim, se tornou o empresário da maior rede de franquias no setor de educação do planeta.

Quando eu tinha 22 anos, era vendedor de pacotes turísticos em uma pequena agência de viagens em Salt Lake City. Gostava tanto do que fazia e me dediquei de tal maneira ao meu trabalho que o negócio começou a crescer a ponto de a agência fretar aviões exclusivamente para levar meus clientes. Com esse conhecimento, fundei minha primeira companhia aérea, a Morris Air. Logo, a Southwest Airlines comprou essa companhia que acabara de surgir no mercado e demonstrava um aumento impressionante de demanda de turistas. Tudo o que fiz foi prestar o melhor atendimento possível aos meus clientes e garantir que o serviço que eles compraram fosse excelente do início ao fim. Essa é a essência: para obter resultados surpreendentes, sonhe alto, pense grande, tenha coragem e ouse inovar.

Inovação é uma das qualidades mais fortes de um empreendedor: ou você evolui ou não sobrevive. Recentemente, introduzi na Azul a *Live TV*, um sistema de transmissão de programas de TV ao vivo a bordo das aeronaves. Eu já havia testado esse serviço com a Jet Blue e vi o quanto era importante trazer essa tecnologia para o viajante brasileiro. No Brasil, ninguém mais oferece esse tipo de entretenimento a bordo. Fica a minha experiência pessoal: não tenha medo de fazer diferente; se você acredita, aposte. E como ensina Carlos Wizard:

o sucesso não é questão de sorte, como muitos pensam. O sucesso é preparação, atitude mental, perseverança e disciplina.

Em suma, a leitura deste livro desperta a vontade de transpor limites, de ser aquilo que você carrega em seu âmago. Vislumbre o futuro que você sempre desejou e determine alcançá-lo com todo o afinco possível. Pense no que você pode fazer melhor que os outros e faça.

DAVID NEELEMAN
Fundador da Jet Blue Airways, da Morris Air e da West Jet;
presidente e fundador da Azul – Linhas Aéreas Brasileiras

Apresentação

Recomendo a leitura do livro *Desperte o milionário que há em você* a todos os que estão em busca de prosperidade. Neste livro, Carlos Wizard Martins revela em detalhes como ele próprio, imbuído de disciplina, determinação e autoconfiança, construiu um império no setor de educação no Brasil. De maneira simples e objetiva, Carlos revela segredos que o ajudaram a superar momentos de muita dificuldade para seguir sua trajetória de sucesso.

Carlos Wizard Martins possui o dom de equilibrar a vida pessoal, familiar e empresarial. Ano após ano ele nos surpreende com suas realizações e novas conquistas. É um grande realizador dos seus sonhos. Com seu exemplo de otimismo, fé e trabalho, Carlos inspira seus amigos, colaboradores e leitores.

Este livro, rico em princípios de liderança, apresenta uma trajetória pessoal e empresarial vitoriosa, aliada a uma mensagem de otimismo e perseverança que deveria ser lida por quem acredita no seu próprio potencial. Este texto irá ajudá-lo a encontrar os melhores caminhos para sua independência financeira.

Carlos Wizard Martins desenvolveu, na prática, o que chamou de "sete chaves de ouro da prosperidade". Simples e diretas, são indicadores que ajudarão você a não cometer erros e, principalmente, a ganhar qualidade e velocidade nas suas ações em busca do sucesso.

O Brasil vive seu melhor momento econômico com inúmeras janelas de oportunidades para geração de riqueza. Esse cenário promissor possibilitou o surgimento de vários novos milionários no país em tempos recentes. Agora você tem em mãos um roteiro, um guia, um passo a passo de como alcançar uma vida mais produtiva, mais próspera e, sobretudo, mais feliz.

João Doria Jr.
Presidente
Grupo Doria e do LIDE – Grupo de Líderes Empresariais

Introdução

D esde muito cedo, desejei prosperar, acumular riquezas e construir uma fortuna. Ao longo dos anos, aprendi que a independência financeira, a prosperidade e o sucesso são possíveis a todos, mas não são frutos do acaso. A conquista só acontece para quem a deseja muito, tanto quanto o ar que respira, e para quem tem a disciplina de fazer tudo o que é necessário para alcançar a vitória.

Descobri que ser rico, próspero e milionário é uma escolha pessoal. É uma questão do que você faz com a própria vida, e de não permitir que a vida faça o que bem entender com você. Foi imbuído desses pensamentos que construí minha trajetória empresarial, criei minha família e hoje gozo de uma vida plena e cheia de realizações em todos os sentidos.

Minha motivação principal para escrever este livro é compartilhar com você princípios, conceitos e valores que utilizei tanto para criar um empreendimento bilionário quanto para ajudar a formar mais de uma centena de novos milionários no Brasil nos últimos anos.

Quero mostrar como, em um espaço de tempo relativamente curto, formei o Grupo Multi, um grupo brasileiro composto por dez empresas bem-sucedidas, das quais cinco são da área de ensino de idiomas – **Wizard, Yázigi, Skill, Alps** e **Quatrum** –, quatro marcas na área profissionalizante – **Microlins, SOS Computadores, People** e **Bit Company** –, e uma marca voltada ao ensino de português e matemática, a **Smartz**. Ao todo, as 3.500 escolas do grupo atendem cerca de 1 milhão de alunos anualmente, geram 45 mil empregos diretos e estão presentes em dez países, incluindo os principais da América Latina, além de Japão, China e Estados Unidos. Somos a maior rede de franquias no setor de educação do planeta e estamos em constante processo de expansão.

"Que cara de sorte!", alguém poderia pensar, ou então: "Ele certamente veio de uma família rica e poderosa!". Não, nada disso. Nasci em uma família muito simples em Curitiba. Minha mãe era costureira e meu pai, comerciante motorista de caminhão. Sou o mais velho de sete filhos e aos 10 anos eu já trabalhava para ajudar minha família, vendendo de porta em porta as roupas que minha mãe fazia. Dela, cresci ouvindo uma frase que teve grande impacto em minha mente: "Querer é poder". Essas três palavras mágicas eram temperadas com: "Tudo que você desejar na vida você alcançará; sonhe alto; pense grande".

Como não havia riqueza prévia, alguém poderia supor: "Se saiu do zero e chegou aonde chegou, ele deve ser um gênio". Isso também não é verdade. Considero-me uma pessoa normal como você, sou um brasileiro como você, sem nenhuma característica extraordinária. Na verdade, em termos acadêmicos, acumulei até um longo histórico de fracassos: repeti duas séries escolares, terminei o Ensino Médio somente aos 22 anos (até hoje não tenho coragem de mostrar minhas notas aos meus filhos), entrei na faculdade tardiamente, aos 26 anos e me formei aos 30. Pouco tempo depois de conseguir meu primeiro emprego, fui demitido.

Minha situação começou a se transformar quando descobri o milionário que havia em mim. Isso aconteceu depois que passei por uma situação que me marcou muito (sobre a qual falarei nas próximas páginas) e que me fez começar aquilo que viria a se tornar o Grupo Multi. Meu empreendimento, hoje bilionário, iniciou-se na sala da minha casa, com um único aluno, para o qual comecei a dar aulas de inglês. De um aluno, passei a ter dois, em seguida três, depois uma turma, duas turmas... e o que existe hoje supera todas as minhas expectativas mais ousadas.

No entanto, não imagine que essa trajetória foi fácil, tranquila e serena. Não foi assim, nunca é e nunca será! O caminho do sucesso está cheio de pedras, obstáculos e desafios, há muitos desapontamentos, as coisas nunca dão certo na primeira vez, e as pessoas nem sempre agem como você espera. Contudo, esse é o maior teste para quem quer vencer em qualquer área e a prova para quem consegue responder afirmativamente às questões: Estou disposto a pagar o preço para alcançar o sucesso? Farei o que for necessário, não importa quão difícil seja? Manterei a disciplina e a disposição para enfrentar toda e qualquer adversidade até atingir o topo?

Em geral, as pessoas que se tornam milionárias têm uma história de superação para contar. Foi inspirado pela superação narrada no clássico americano *O Mágico de Oz* (*The Wizard of Oz*) que resolvi dar o nome de Wizard à minha primeira escola de inglês. Na história, cada personagem carregava em seu íntimo um grande desejo: Dorothy desejava retornar ao Kansas, o leão medroso queria ter coragem, o espantalho almejava ter um cérebro e o homem de lata ansiava por um coração. Os quatro caminharam quilômetros, transpuseram obstáculos, enfrentaram grandes perigos, suportaram muitos sofrimentos até alcançarem a Terra de Oz, para serem instruídos pelo grande Wizard.

A lição maravilhosa que o mágico (Wizard) lhes ensinou é que tudo o que eles desejavam, na verdade, já lhes pertencia: bastava apenas que cada um explorasse o próprio interior. Assim, Dorothy foi capaz de voltar para casa, o leão descobriu que tinha toda a coragem da qual precisava, o espantalho provou ser o homem mais inteligente do grupo, e não poderia haver pessoa mais carinhosa do que o homem de lata.

Da mesma maneira que Dorothy e seus companheiros tiveram de empreender uma longa jornada até chegarem à Terra de Oz, cada indivíduo em busca de realização precisa percorrer a própria estrada de tijolos amarelos até alcançar aquilo que deseja. A maioria das pessoas gostaria que a conquista fosse imediata e sem grandes esforços e se ilude pensando que a vida lhes é ingrata quando tudo fica difícil. Chega até a culpar Deus, dizendo que Ele abençoa alguns e castiga outros. Não se deixe enganar: nenhuma vitória acontece por acaso. Qualquer conquista, pequena ou grande, é fruto da própria organização, do próprio planejamento e de muito esforço.

Espero que esta obra ajude você a construir sua história de superação, transformação pessoal e ascensão financeira. Meu intuito não é ensinar aqui práticas de gestão, fórmulas de economia, análise de mercado ou maneiras de administrar uma empresa. Quero falar do que se passa dentro de você, mais precisamente na sua mente, em seu coração e em seu espírito. Você comprovará que riqueza, prosperidade e sucesso estão mais relacionados à sua postura mental – à sua maneira de pensar, acreditar e agir – do que a fatores tangíveis.

Gostaria, porém, de fazer uma ressalva: não é minha intenção desmerecer ou menosprezar quem possui poucos recursos. Não sou insensível a suas necessidades e carências e não considero os ricos melhores que ninguém. Penso que essa é uma escolha pessoal e cada um precisa decidir, em algum momento, se prefere passar uma vida de conforto, prosperidade e liberdade financeira ou uma vida de privação.

Muitos querem ter sucesso, mas poucos têm um método eficiente para atingi-lo. Por isso, nas próximas páginas você conhecerá os segredos, os princípios e os conceitos que coloquei em prática para, a partir do zero, conquistar uma vida repleta de realizações em todos os aspectos. São os mesmos ensinamentos que já ajudaram mais de uma centena de pessoas a se tornarem as novas milionárias do Brasil.

Tenha certeza de uma coisa: se eu comecei do nada, você também pode começar. Se eu pude sair da pobreza e passar para a riqueza, você também tem condições de chegar lá. Se eu consegui construir uma fortuna, a possibilidade existe para você também.

A riqueza começa dentro de você. Assim como o Sol faz conosco todas as manhãs, quanto mais forte for a luz que brilhar no seu íntimo, mais depressa fará despertar o milionário que está adormecido em você.

Capítulo 1

O amargo sabor do fracasso

Algumas questões sempre me intrigaram: por que algumas pessoas progridem sem parar, enquanto outras trabalham duro e mal conseguem pagar as contas no final do mês? Por que algumas pessoas são felizes e realizadas e outras insatisfeitas e deprimidas? Por que somente alguns conseguem alcançar grande sucesso? Será que ter fama, fortuna e prestígio e conseguir realizar tudo o que se deseja é um privilégio reservado a poucos iluminados? Assim como eu, tenho certeza de que você já pensou em tudo isso e muito mais.

Era exatamente isso o que se passava em minha mente naquele momento crítico em que eu recebia a notícia de que estava sendo demitido. Eu estava com 30 anos, havia recentemente me formado na faculdade, em ciência da computação, via aquele meu objetivo inicial de fazer uma carreira de executivo indo por água abaixo.

Aquele havia sido meu primeiro trabalho de verdade, porque até então eu não tinha profissão definida, e só tinha conseguido empregos temporários ou subempregos. Paralelamente a esse primeiro emprego, para complementar minha renda, eu dava aulas de inglês à noite, em casa. Já era casado, pai de gêmeos, e minha esposa, Vânia, estava grávida novamente, à espera de uma menina.

A situação era crítica, mas eu não sabia ainda que aquele momento decisivo mudaria minha vida para sempre.

Se você já passou pela experiência de ser demitido, conhece muito bem os sentimentos que a acompanham. Uma série de perguntas circula em sua mente tentando encontrar o porquê, e especialmente o "por que eu?":

- Será que não gostaram de mim?
- Será que não fui bem no trabalho e eu nem sabia?
- Será que foi uma questão pessoal ou profissional?
- Será que é o meu jeito de ser, de falar, de agir?
- Será que eu não tenho potencial?
- Será que vou conseguir outro emprego?
- Será que isso vai acontecer de novo?
- Será só imaginação?
- Será que tudo isso é em vão?
- Será que vou conseguir ir em frente?
- Será, será, será...?

Nesse instante de introspecção, somos tomados por sentimentos de medo, insegurança e um número sem fim de dúvidas sobre nós mesmos. Depois surgem os fantasmas imaginários e fazem você se sentir como se estivesse preso em uma cela escura e pequena.

É como se, inserido nessa prisão, você não passasse frio nem fome, pois tem algum agasalho e diariamente tem algo que comer. A cama não é muito boa, mas você consegue dormir razoavelmente bem. A comida também não é lá grande coisa, mas você vai sobrevivendo.

Enquanto isso, através das grades, você contempla o mundo belo, maravilhoso e saudável lá fora. Você consegue ver os outros se locomovendo em carros luxuosos e vivendo em casas confortáveis, e observa que essas pessoas gozam de plena liberdade de ação e expressão e trabalham, produzem, participam, ganham, contribuem, amam e se divertem. E você está lá preso, condicionado à realidade criada em seu estado mental.

Tudo isso faz com que você se sinta deprimido, marginalizado e inferiorizado, pois enquanto o mundo inteiro prospera ao seu redor, você continua preso entre as quatro paredes imaginárias e, o que é pior, criadas por você mesmo. Essa condição de aprisionamento lhe causa revolta, desespero, angústia, um profundo sentimento de tristeza e amargura, que pode levar a um choro convulsivo, incontrolável ou, ainda pior, àquele em que você não consegue derramar uma única lágrima, mas que deixa uma dor terrível e um vazio profundo na alma.

Ao contemplar o mundo abundante e rico, nas profundezas de seu ser surgem lampejos de esperança de, quem sabe um dia, alcançar uma felicidade distante, remota, e por vezes quase inatingível. Você respira fundo e começa ponderar: "Como seria bom se eu estivesse lá! Como seria bom se eu pudesse ter alguma coisa na vida! Se ao menos eu pudesse ser alguém... Como seria fantástico se eu pudesse transformar meus sonhos em realidade!".

Quando nos sentimos inconformados com a situação, nas encruzilhadas que a vida nos coloca, somos obrigados a tomar uma decisão e seguir um novo caminho, pois permanecer na condição existente é algo insuportável.

É assim que me sentia depois de experimentar o amargo sabor do fracasso e era a situação em que eu me encontrava depois daquela demissão.

Momentos como esse são a oportunidade ideal para olhar no espelho, avaliar quem realmente somos e contemplar nosso potencial infinito de realização. Muitas vezes, é após uma grande queda que vivenciamos o maior crescimento. Essa é a hora para retomar projetos, renovar ambições e resgatar sonhos às vezes já esquecidos ou adormecidos no fundo da alma.

Matadores de sonhos

Sonhar é necessário, mas infelizmente a maioria das pessoas não possui nenhum tipo de entusiasmo, aspiração ou ambição. Algumas até conseguem, mas logo abandonam seus sonhos quando se deixam contaminar por comentários negativos e críticas dos "matadores de sonhos", que são conselheiros até muitas vezes bons e generosos, mas que, por incapacidade própria de lutar por seus ideais, conseguem convencê-lo de que seu sonho é impossível e que você nunca vai realizá-lo.

Geralmente, os "matadores de sonhos" costumam utilizar seu tempo livre com atividades inúteis, sem propósitos ou direção. Assim, não precisam se concentrar na busca da autorrealização e tentam lhe convencer a fazer o mesmo. Lamentavelmente, algumas pessoas talentosas se deixam influenciar por esses comentários negativos e acabam abandonando seus objetivos de prosperidade, achando que a vida é assim mesmo.

Há ainda os "matadores de sonhos" que torcem por seu fracasso e se alegram ao ver você em uma condição ruim, pois assim têm a impressão de que não precisam fazer nada para melhorar. E quando você está mal, eles ajudam você a ficar pior ainda.

Você, então, adia seus planos. Talvez já tenha adiado tantas vezes seus objetivos e sonhos, que até já se tenha cansado. Entretanto, seu pensamento não lhe dá sossego e continua incessantemente lhe cobrando: "e aquele sonho? O que vai fazer com ele?" Você faz de conta que não ouve, apenas acena com a cabeça e diz: "ah, já sei, aquele sonho, estou pensando nele". Passam-se alguns dias, você sonha mais. Às vezes acorda à noite, não consegue dormir, vira-se de um lado para outro na cama, e o questionamento continua: "já se esqueceu de seu sonho grandioso?" "Não, não me esqueci, estou sempre pensando nele".

Daí, você tenta mudar de assunto. Não consegue e acaba respondendo: "está bem. Nesta semana não posso pensar nisso, estou muito atarefado na empresa, é fechamento de mês. Estou precisando trabalhar até as 8 horas da noite. Quando chego em casa, mal consigo jantar e assistir a um pouco de televisão. Nessas horas, já estou morto de cansaço. Muitas vezes acabo dormindo no sofá mesmo. Para quem luta tanto durante a semana, o fim de semana só dá para fazer as compras do supermercado e assistir à televisão".

Então você faz um acordo consigo mesmo: "assim que passar esta fase, prometo parar tudo só para planejar como realizarei o meu sonho de ficar rico. Está bem assim?".

Dessa maneira, você passa mais um mês, mais um semestre, mais um ano postergando, protelando, adiando a realização de seu grande sonho de prosperidade. Na verdade, você está adiando a grande jornada ao seu interior, que é o lugar onde as coisas precisam acontecer em primeiro lugar, antes de elas poderem se materializar em sua vida. Enquanto você não parar tudo para alinhar sua mente e seu coração com as leis que geram a riqueza, você continuará sofrendo as consequências dessa dicotomia de desejar algo grandioso e passar seus dias sofrendo e se lamentando com a realidade existente.

Derrota autoimposta

Seja sua condição atual de fartura ou de miséria, ela revela exatamente seus desejos e crenças mais íntimos. Alguém então pode pensar: "nunca desejei estar na situação ruim em que me encontro". Para entender como as pessoas vivem em condições desfavoráveis, faça o seguinte exercício de imaginação: pense que há um terreno baldio ao lado de sua casa e imagine como seria bom se esse terreno produzisse naturalmente morangos, laranjas, maçãs e uvas. Seria uma maravilha poder apanhar essas frutas pela manhã para saboreá-las prazerosamente.

No entanto, isso nunca acontece. O que geralmente se vê em terrenos baldios? Erva daninha, espinhos, sujeira, imundície, cobras, ratos, doenças, perigo etc. Se o terreno está baldio, é sinal de que ninguém plantou, e essa é uma lei universal: você só colhe aquilo que planta, cuida e rega, e nada mais.

O mesmo acontece no palco de sua mente. Se ela não é cultivada com princípios de prosperidade e ideais elevados, rende-se à pobreza, ao fracasso e à miséria.

Certa vez, ouvi a seguinte afirmação de uma pessoa que parecia bem-intencionada e sincera: "Não sou uma pessoa ambiciosa, não desejo o luxo, a elegância, a sofisticação". Esse comentário pode parecer absurdo e até mesmo falso, mas é um retrato genuíno do pensamento de milhares de pessoas que se hipnotizam com sentimentos de autopiedade, tentando se iludir, alegando que não querem obter aquilo que mais gostariam de possuir.

Inconscientemente, sofrem por uma derrota autoimposta, pois, além de não desejarem o bem para si mesmas, gastam suas energias tentando atrair os efeitos de uma atitude mental negativa. Portanto, entenda que sua condição social atual revela seus desejos mais profundos.

Medo de prosperar

Pode parecer incrível, mas inconscientemente algumas pessoas carregam um medo enorme dentro delas: têm medo de prosperar e acumular riquezas. "Como alguém pode ter medo de enriquecer?", você poderá perguntar. E eu afirmo que esse medo é real, comum, e é uma das causas principais por que muitos não conseguem progredir financeiramente.

Essas pessoas vivem pensando assim: "Se ficar rico, serei assaltado, sequestrado, talvez morto. Sem contar o número de pessoas que vão bater à minha porta para pedir dinheiro emprestado". Tomadas por uma sensação terrível de medo, elas se hipnotizam, e aceitam a infelicidade em seu meio como uma condição permanente. Não conseguem imaginar nenhum cenário diferente, além de seu estado de incertezas, insegurança e instabilidade.

Geralmente, pessoas que pensam dessa maneira se justificam assim: "Meus avós eram pobres, meus pais eram pobres, nasci pobre, vou morrer pobre". Vivem como se fossem predestinadas a passar uma existência de sofrimento, angústia e aflições. Algumas pessoas até aceitam essa condição desfavorável, como se fosse algum desígnio ou vontade divina, quando na verdade não há nenhuma virtude na pobreza. Ela gera fome, desnutrição, doenças, analfabetismo, intrigas, confusões, preocupações, desavenças, choros, irritações, úlceras, desgraças e não beneficia ninguém. Tenho certeza de que nem Deus se alegra com a miséria.

A pobreza é uma anomalia existente no interior do homem, em seu modo de pensar e agir. A crença mantida por muitos de que a pobreza revela a pureza do indivíduo não possui nenhum fundamento científico, psicológico ou espiritual. Em minha opinião, essa é apenas uma racionalização criada por aqueles que escolheram o caminho de menor resistência.

O famoso escritor Helbert Hubbard descreveu com muita clareza a realidade da vida de milhares de homens e mulheres que a cada dia enganam a si mesmos, consciente ou inconscientemente. Eles pertencem à grande multidão e são considerados indivíduos comuns, sem nenhum objetivo a seguir, não faltam ao trabalho, porém não têm urgência em suas ações, não se comprometem com datas, prazos ou resultados e precisam ser lembrados a todo instante de suas obrigações. Alguns passam as horas escondendo-se, esquivando-se, matando o tempo até chegar a hora da saída.

Inconformado com essa situação, ele escreveu: "Todo empreendedor bem-sucedido enfrenta o desafio do homem comum, incapaz ou sem disposição de se concentrar em uma tarefa e levá-la até o fim. Desatenção tola e irritante e trabalho malfeito parecem ser a regra geral. A incapacidade de atuar de forma independente, a inércia sem fim, a falta de vontade e a relutância em empenhar-se alegremente em uma obra são as causas que colocam o bem-estar da multidão em um futuro cada vez mais remoto. Infelizmente, muitas pessoas fazem apenas o mínimo exigido para evitar ser demitidas no final do mês.

Se os homens não têm a iniciativa de agir em proveito próprio, que farão quando o resultado de seu esforço redundar em benefício de todos?".

Na realidade, sempre procuramos desculpas, atribuindo às circunstâncias nosso fracasso e nossa situação malsucedida. A seguir, falarei sobre as desculpas mais comuns de quem não conseguiu ter sucesso nem criar fortuna.

Capítulo 2

As sete desculpas mortais

A gora você conhecerá as sete desculpas mortais das pessoas malsucedidas. São denominadas mortais porque cada uma delas tem o poder de destruir sonhos, acabar com o ânimo e matar as esperanças de dias melhores.

O portador desse vírus contagioso apresenta sintomas de crises nervosas constantes, desarranjos cerebrais e dores agudas de consciência. Caso não seja tratado a tempo, pode sofrer sérias complicações profissionais, que podem ser fatais, em casos extremos.

Para se proteger desse mal, você deverá se afastar de qualquer indivíduo já contaminado pelo vírus, pois este é altamente contagioso. E precisa se vacinar, conhecendo o que dizem as pessoas que, todos os dias, afastam o sucesso de si mesmas.

Desculpa 1
Aqui nada dá certo

Primeiramente, as pessoas malsucedidas não acreditam no lugar em que vivem, em sua própria cidade, estado ou país.

Estão sempre afirmando para si mesmas e para os outros: "Esta cidade não é boa. Tudo que começa aqui não vai adiante. Aqui não há oportunidades. Já tentei de tudo, mas nada deu certo. Se fosse na capital, seria diferente". Já o indivíduo infeliz da capital diz exatamente o contrário: "O problema é a cidade grande. Aqui já existe tudo. Esta cidade tem muita gente. Se eu estivesse no interior, seria diferente".

Esses indivíduos estão sempre procurando uma desculpa e não assumem a responsabilidade por seus atos. Desejam inconscientemente estar em outro lugar e buscam sempre uma razão externa para justificar sua rendição interna. Enquanto os derrotados mudam de cidade e fogem de si mesmos, os vitoriosos progridem tanto no interior quanto na capital. Essa realidade me faz lembrar uma história:

> Havia um viajante que, chegando a certa cidade, indagou a um morador: "Como é esta cidade?". O morador lhe respondeu com outra pergunta: "Como era a cidade de onde você veio?". E o viajante respondeu: "Minha cidade não era boa. As pessoas de lá eram orgulhosas, avarentas, invejosas, negativas, pessimistas, não gostavam de trabalhar, criticavam umas às outras e encontravam desculpas para justificar os próprios erros". O morador respondeu: "Esta cidade é igualzinha à sua".
>
> O viajante agradeceu e seguiu seu rumo. Outro viajante se aproximou desse morador e lhe fez a mesma pergunta. Novamente, ele lhe perguntou como era a antiga cidade. O segundo viajante lhe respondeu sorridente, afirmando que sua cidade de origem era muito boa, as pessoas eram amigáveis, honestas, trabalhadoras, positivas, otimistas, hospitaleiras e sempre procuravam socorrer umas às outras. O morador então

disse: "Você vai adorar este lugar. As pessoas daqui são iguais às da sua cidade".

Desculpa 2
A concorrência é muito grande

Algumas pessoas dão a desculpa da concorrência, seja na área acadêmica, profissional ou empresarial. Elas costumam dizer assim: "Hoje em dia há muitos advogados, médicos, dentistas, engenheiros, terapeutas, psicólogos, professores etc.". Elas se esquecem de que há profissionais renomados, respeitados e bem-sucedidos, e outros sem nome, sem prestígio e desconhecidos.

Quem trabalha em uma grande empresa costuma dizer assim: "Aqui é muito difícil subir na carreira. A estrutura já está toda definida". Essas pessoas pensam como se seu trabalho fosse invisível e não tivesse nenhuma importância. Na verdade, quanto maior é a empresa, maior é a oportunidade de o indivíduo crescer e progredir, pois a excelência do profissional tem grande impacto no lucro da organização. Por isso, quem se destaca sempre será observado e admirado por um número maior de pessoas.

O falso empreendedor com a mente cheia de desculpas pensa assim: "É melhor não abrir um negócio por aqui. Já existe muita concorrência nesta área". Pessoalmente, sempre achei interessante abrir uma escola de inglês onde há muitos concorrentes, pois isso demonstra que o setor de ensino é um excelente negócio, porque, do contrário, estariam todos falidos.

Alguns pretensos empresários, contagiados por essa desculpa, afirmam: "Os concorrentes estão dominando o mercado". E eu afirmo: parabéns a eles, pois estão trabalhando da maneira certa, pois dominar o mercado deve ser o objetivo de todo empreendedor. O profissional que se intimida com a concorrência apenas está declarando sua indisposição em atender às necessidades dos clientes internos ou externos, seja na organização para a qual trabalha seja de acordo com as demandas do mercado.

Sempre admirei a concorrência, ela estimula a criatividade, gera ideias, obriga a reestruturar a empresa, leva a dispensar os incompetentes, oferece melhores salários para os qualificados, contrata melhores profissionais, gera mais recursos, investe em publicidade, promove treinamento e atende melhor o cliente.

Portanto, a concorrência pode tanto ser um estímulo para a superação profissional quanto uma ótima desculpa para não agir. Cuidado para que ela não o tire do jogo.

Desculpa 3
É preciso pagar muitos impostos

Há pessoas que utilizam a desculpa dos elevados índices de impostos do Brasil na tentativa de justificar sua inércia profissional e empresarial. Quantas pessoas você conhece que, tendo uma boa atividade comercial, com boas perspectivas, simplesmente afirmam: "Não posso crescer. Se eu crescer, o governo vai levar todo o meu dinheiro. Também vou precisar contratar mais funcionários e, você sabe, os encargos e as leis trabalhistas deste país são um absurdo. Por isso, é melhor deixar o negócio como está".

Às vezes, em uma empresa, encontramos pessoas que até preferem ganhar menos, apenas para não pagar os impostos advindos de uma remuneração maior.

O vírus dessa desculpa é muito perigoso, pois expõe não somente a mentalidade pequena de seu portador, mas revela outros sintomas ainda mais sérios, como a inveja, o egoísmo e a mesquinhez. Pessoas infectadas por esse vírus costumam pensar assim em uma relação comercial: "Eu ganho. Nós empatamos. Você perde".

Essas pessoas são pobres de espírito, pois gostariam que o resultado de seu trabalho beneficiasse apenas a si próprias e a mais ninguém. Não possuem senso de responsabilidade social pela comunidade, pela coletividade ou pelo próximo. Na verdade, sentem dor na alma ao saber que alguém será beneficiado por seu trabalho. Elas costumam dizer: "Eles querem ganhar em tudo", e, com esse pensamento, preferem se privar dos benefícios do próprio esforço a dividir uma parcela de seus ganhos com seus semelhantes, com a instituição ou com o país.

Desculpa 4
Falta dinheiro

Alguns "especialistas em dar desculpas" alegam que atualmente o povo está sem dinheiro e que há apenas três maneiras de ficar rico: receber uma herança, ganhar na loteria ou casar-se com uma pessoa rica. Na realidade, nunca houve uma época mais próspera na história recente deste país em que as pessoas têm acesso a carros importados e a tantos outros bens de consumo.

Na verdade, somente os que reclamam da falta de dinheiro é que estão sem dinheiro. Todos os outros vão bem, obrigado. Não é porque você está passando por dificuldades que o mundo inteiro está como você. Se fosse assim, as lojas, os bancos, as ruas estariam vazios, não haveria caminhões nas estradas, nenhum avião levantaria voo nem sequer haveria jornal ou televisão.

Desculpa 5
Existem crises e incertezas

Quem dá essa desculpa afirma que hoje tudo é muito arriscado, pois estamos passando por incertezas políticas e crises no mundo todo, e o momento não é bom para o trabalho e para os negócios; por isso é melhor aguardar uma definição e não agir.

Quem dá essa desculpa talvez tenha sido vítima de muitas crises no passado e ainda não conseguiu se recuperar emocionalmente. Pessoas que são assim têm o seguinte discurso: "O sistema financeiro mundial está à beira de um colapso total, vivemos em uma economia globalizada perigosa, na qual um *tsunami* no Japão pode causar um *tsunami* financeiro no outro lado do mundo. Os Estados Unidos enfrentam sua maior crise financeira, a Europa está quebrada e a China quer dominar o mundo. Os mercados estão atravessando uma fase de incertezas sem precedentes, grandes bancos e empresas tradicionais estão fechando as portas, o desemprego aumenta em toda parte e nem mesmo os especialistas conseguem prever se haverá uma crise financeira ainda maior. Por todos esses motivos, o momento não é bom para os negócios e é melhor aguardar um realinhamento na política financeira mundial".

Quem fala assim se esquece de que enquanto há indivíduos indo à falência há outros fazendo fortuna; há economias em recessão e há economias emergentes. Para o pessimista, não importa a condição da economia, diante de uma oportunidade ele sempre verá uma crise, ao passo que o otimista, diante de uma crise, sempre verá uma oportunidade.

Desculpa 6
Não tenho sorte

Há quem pense que o sucesso é uma questão de sorte e oportunismo. Alguns passam meses sem trabalhar e se justificam dizendo: "Estou sem sorte. Não encontro uma colocação em minha área". Essas pessoas costumam olhar o sucesso alheio com ciúmes e inveja e, em tom de desprezo, dizem: "Para fulano tudo dá certo. Nasceu com a estrela". Outros ainda pensam que "todo rico é ladrão, corrupto e aproveitador".

Assim, ignoram as longas horas de preparação, as escolhas e as consequências, as decisões erradas e acertadas, as correções de rumo ao longo da trajetória e julgam que seu vizinho bem-sucedido nunca enfrentou adversidades.

Quem pensa na falta de sorte não sabe que 70% dos jovens que se formam não encontram emprego em sua área, mas conseguem obter sucesso quando quebram o ciclo do desemprego pegando um emprego qualquer e depois buscando uma colocação melhor.

O clássico escritor James Allen descreveu essas pessoas assim: "Alguns, ao ver um homem saindo-se bem, observando apenas os efeitos positivos de suas realizações e desconhecendo o processo em si, dizem: "Eis um sujeito de sorte". Pessoas assim não levam em conta as provações, os fracassos e as lutas que aquele homem enfrentou para adquirir a experiência; não reconhecem os sacrifícios que fez, os esforços corajosos a que se propôs, a fé que acalentou para superar os obstáculos aparentemente intransponíveis para poder realizar seus grandes sonhos. Não veem a jornada longa e árdua, não sabem da escuridão nem da tristeza que enfrentou. Veem apenas a luz, a beleza e a alegria do objetivo já cumprido e chamam isso de sorte".

Além de alegar sua falta de sorte, há os que desprezam a "sorte" do rico. Só não percebem que pensando assim jamais se tornarão milionários. Como alguém pode se tornar algo que despreza?

Desculpa 7

A sétima desculpa é a mais perigosa de todas. Eu não a escrevi aqui porque cada pessoa a conhece bem, uma vez que há anos vem convivendo com ela, que é sua "amiga e fiel companheira". Ela é o motivo que cada um alega para ainda não ser próspero e muito bem-sucedido.

Nem preciso saber como cada um preencheria essa lacuna, mas de uma coisa tenho certeza: essa desculpa que você dá para você mesmo tem origem no seu conformismo. Você se conformou com isso e acredita que as coisas são assim mesmo e não vão mudar.

O efeito colateral dessa desculpa é grave, e o tratamento é muito difícil, pois provavelmente seu organismo já criou anticorpos para se defender dela. O conformismo arraigado em você elimina sua iniciativa, mata sua criatividade, enterra seus talentos, acaba com a esperança de dias melhores e torna-o vítima das circunstâncias.

Às vezes, o conformismo está tão profundamente enraizado no íntimo do ser humano que ele não consegue eliminá-lo facilmente. Só por meio de muito esforço pessoal e ajuda adequada, as pessoas são capazes de superar conceitos falsos, geralmente adquiridos durante a infância e a juventude por causa do ambiente de excessiva carência e privações.

Na realidade, quem quer trilhar a estrada do sucesso não pode ficar preso a desculpas. Não existe aquela história de "a vida não sorriu para mim" ou "a vida foi cruel comigo". Se você quiser se tornar próspero, precisa decidir heroicamente enfrentar o espelho e despedir-se de seu antigo eu para abraçar uma nova maneira de ser, sem bloqueios, complexos e desculpas.

Se você quiser dar uma guinada na sua vida, precisa tomar uma séria decisão, fruto de profunda análise e de uma conversa franca de você consigo mesmo: precisa decidir despertar o milionário que há em você. Assim, conhecerá um novo eu que é rico, próspero e possui o espírito milionário em si. Quando você abraçá-lo de vez, verá que ele se tornará seu maior aliado.

Capítulo 3

Em busca da prosperidade

M inha demissão, apesar de sinalizar uma situação muito difícil, foi o divisor de águas para a retomada de meus sonhos e objetivos. Naquele momento, eu sabia que tinha duas escolhas: poderia procurar outro emprego e tentar uma nova colocação em outra empresa ou fazer o que eu tanto queria e sonhava: montar meu negócio e empreender.

Na realidade, não era um sonho apenas meu. Já era nosso: meu e de Vânia. Começamos a sonhar juntos desde o dia em que nos casamos.

Embora Vânia e eu nos conhecêssemos desde a adolescência, só começamos a namorar quando eu tinha 22 anos. Eu fazia curso supletivo, pois queria terminar o Ensino Médio, uma vez que tinha a esperança de um dia passar no vestibular, conseguir um bom emprego e formar uma família. Ela era linda, talentosa e maravilhosa, e após um "longo" namoro de um mês, eu a pedi em casamento, que aconteceu depois de apenas noventa dias. Tenho certeza de que ela aceitou pelo mais puro amor e inocência, pois na época ela ganhava dois salários mínimos por mês, e eu, um.

Tudo foi muito simples: os convites do casamento foram cópias xerox, as fotos foram tiradas por um amigo e os docinhos, feitos em casa mesmo. Depois da cerimônia, partimos para a lua de mel em uma Kombi emprestada rumo a Camboriú, em Santa Catarina. Certa noite, sentados na areia da praia, em um momento de inspiração, traçamos algumas metas para o futuro. Uma delas foi inesquecível: vamos buscar a prosperidade.

Voltamos para enfrentar a vida de recém-casados, sem saber o que fazer para sair da pobreza e alcançar a riqueza. Não conseguíamos conceber, naquele momento, os imensos obstáculos e as barreiras que enfrentaríamos na busca da autossuficiência. Não sabíamos ao certo o que significava ter sucesso e quais eram as implicações inerentes a esse mundo desconhecido. Não tínhamos mapa, roteiro ou guia para seguir, tínhamos o forte desejo, a esperança e a confiança de construir uma grande fortuna.

Quando a preparação encontra a oportunidade

Eu sabia que, se quisesse mudar minha situação financeira, precisaria primeiro mudar minha condição acadêmica. Com esse objetivo em mente, por três anos eu e minha esposa trabalhamos e poupamos o suficiente para que eu pudesse frequentar uma universidade, não no Brasil, mas nos Estados Unidos. Na época, eu já era fluente em inglês, pois havia aprendido o idioma de Shakespeare na minha adolescência com os jovens missionários mórmons que iam até minha casa.

Com esforço próprio, apoio da família e incentivo dos líderes da igreja mórmon, consegui ser aceito na universidade Brigham Young, em Utah, nos Estados Unidos. Naquele ambiente acadêmico de excelência, estudei ciência da computação e estatística e, ao mesmo tempo, tive a oportunidade de trabalhar como instrutor de língua portuguesa para estrangeiros no centro de idiomas da universidade. Depois da formatura, fui contratado pela empresa Champion International, em Cincinnati, onde trabalhei durante um ano, e fui depois transferido para a filial brasileira, em Mogi Guaçu, SP.

Como recém-formado, aos 30 anos, meu objetivo principal era fazer carreira como executivo. Imaginava trabalhar em várias companhias e subir a escalada corporativa rumo ao sucesso profissional.

Sempre acreditei que o sucesso acontece quando a preparação encontra uma oportunidade. Certo dia, eu estava no trabalho quando um colega me perguntou: "Você poderia me dar algumas aulas de inglês à noite?". Eu pensei assim: aulas de inglês significam mais dinheiro no bolso, e isso não faz mal a ninguém. E topei.

Comecei, então, a dar aulas na sala da minha casa no período noturno. Depois desse meu primeiro aluno, outro chegou, e depois mais um e mais um... Em pouco tempo, estava dando aulas para uma turma, depois para duas, três... Após alguns meses, minha esposa também passou a dar aulas em casa e, à medida que o tempo passava, o número de alunos aumentava.

Naquela época, as aulas de inglês não passavam de um complemento à renda familiar. É interessante notar que, às vezes, possuímos um dom, um talento, uma habilidade nata, mas nós mesmos não conseguimos reconhecer de imediato, e isso aconteceu comigo.

Eu trabalhava de dia na Champion, dava as aulas em casa à noite e continuava buscando uma solução: "Onde vou encontrar o sucesso? Como vou conseguir ser próspero? O que fazer para vencer financeiramente? Serei um empregado sempre ou poderei ser um empregador?".

A solução estava diante de meus olhos, mas eu ainda não conseguia ver.

Enquanto pensava em tudo aquilo, certo dia fui ao banco receber meu salário. Quando estava na fila de espera do caixa, observei que em cima do balcão havia uma pasta aberta com o título "Folha de pagamento – Confidencial". Olhei bem e vi que era da empresa para a qual eu trabalhava!

Ao chegar minha vez de ser atendido, espichei os olhos e vi que o primeiro nome na lista era o do meu chefe. Ele era um profissional com vinte anos de carreira, que já havia trabalhado em grandes empresas e possuía um currículo impecável, mas, para minha surpresa, quando observei o valor de seu salário na lista, fiquei um tanto admirado. Perguntei então à moça do caixa: "Essa folha de pagamento é mensal, quinzenal ou semanal?". Ela riu e disse: "Claro que é mensal. A empresa não faz pagamento quinzenal ou semanal".

Em seguida, recebi meu humilde salário e fui para casa inconformado. Não acreditava naquilo! Eu pensava que um salário de diretor era maior, mas muito maior.

Então avaliei: será que quero trabalhar mais vinte anos para depois conquistar essa remuneração? Será que estou disposto a me submeter a todas as demandas da escalada corporativa para, quando estiver próximo da aposentadoria, obter um cheque como aquele? Será que não conseguiria obter ganhos maiores se trabalhasse por conta própria?

A decisão de ficar rico

Com a experiência que tenho hoje, posso afirmar, com toda a segurança, que se você quiser ficar bem, ter uma vida tranquila e confortável, deve trabalhar para uma boa empresa. Você terá uma linda casa, um bom carro e poderá fazer uma viagem à praia de vez em quando.

No entanto, se você deseja ter uma supercasa, um supercarro e viajar por todo o mundo, se sua pretensão é ficar rico, muito rico, milionário ou multimilionário, você precisará empreender, abrir o próprio negócio e aprender a multiplicar seus talentos e recursos.

Aquela experiência na fila do banco me deu um senso de definição e propósito. Senti claramente que o caminho da prosperidade consistia na capacidade empreendedora de cada um. Embora ainda não soubesse qual seria meu projeto de vida, naquele momento decidi que eu seria um empreendedor e ganharia meu sustento desenvolvendo meus próprios planos, metas, objetivos, e ganharia mais ou menos na mesma proporção de meus esforços.

Para colocar esse objetivo em prática, por um tempo, eu precisaria manter aquele meu emprego para poder cobrir as despesas do mês até conseguir me estabelecer com meu negócio. Enquanto isso não acontecesse, seria insensatez pedir o desligamento da empresa. Em meu íntimo, porém, de forma incompreensível para mim mesmo, havia uma voz mansa e suave que dizia:

- Você pode mais!
- Acredite em si mesmo!
- Acredite em seus sonhos!

Mesmo assim, enquanto eu queria acreditar na voz interior, pensava:

- Mas e quando eu largar meu emprego seguro?
- Será que vale mesmo a pena abandonar a estabilidade e a segurança do emprego fixo?
- Vou arriscar sem nem saber que negócio vou abrir ou em que área vou atuar?
- O que minha esposa vai achar de tudo isso?
- Qual será a reação de meus pais?
- O que os outros vão dizer?
- E se eu falhar?
- E se tudo der errado?

Enquanto tentava combater aquelas vozes negativas e manter a chama acesa de me tornar um empreendedor, sentia como se tivesse nas mãos um quebra-cabeça de mil peças para montar. Era como se as peças estivessem todas soltas, espalhadas em cima da mesa, mas não havia uma imagem, uma foto ou ilustração em que me basear. Eu só sabia que teria o negócio próprio e mais nada.

Na tentativa de definir em que área atuar, lembro-me de ter feito com minha esposa uma relação de dez possíveis projetos, que variavam de tamanho, natureza e segmento. Diante da diversidade de opções, por um tempo senti-me totalmente desorientado, sem saber qual trajetória seguir, que rumo tomar e por onde começar.

Sabia também que, em qualquer área que fosse atuar, levaria muito tempo para obter um retorno financeiro satisfatório. Possivelmente, no início, eu não receberia nada ou quase nada. Se recebesse o suficiente para a manutenção da família, já estaria satisfeito. Eu sabia também que não dominava a operação de nenhum dos dez negócios listados.

Naquele momento de indefinição, tive a nítida sensação de que precisava de uma inspiração divina, de uma orientação superior à minha capacidade intelectual, para me auxiliar a tomar a decisão correta, pois não seria apenas um trabalho ou um negócio qualquer, mas um projeto de vida. Seria uma causa, um ideal pelo qual eu daria o melhor de mim, pois estava disposto a dedicar toda a minha energia, meus dons e talentos para o êxito do empreendimento.

Embora eu não soubesse que rumo seguir nem por onde começar ou como proceder, dentro de mim havia uma certeza: que Deus sabia e Ele poderia me indicar que rumo eu deveria seguir.

Uma resposta

Imbuído daquele espírito, lembrei-me de uma cena bastante inspiradora de um filme de que eu gostava muito: *Um violinista no telhado*. Esse filme antológico conta a comovente história de Tevie e de sua família, que viviam em um terrível estado de pobreza na antiga Rússia.

O filme retrata a saga daquela família de judeus rumo à segurança, à estabilidade e ao conforto da América. O protagonista, Tevie, criava vacas e vendia leite com sua carroça na vila de Anatevka. Em certo momento, seu cavalo adoece e ele mesmo passa a puxar a carroça para fazer as entregas. Bastante abatido e inconformado com a situação de carência que enfrentava, ele para no caminho, olha para os céus e, muito emocionado, começa um diálogo com o Criador: "Meu querido Deus, o que aconteceria se eu fosse um homem rico? O que aconteceria se eu tivesse uma fortuna? Mesmo que fosse uma pequena fortuna, isso estragaria seus planos?".

Eu me sentia exatamente como Tevie: com esposa e filhos pequenos para criar, vivendo em uma grande pobreza, em um estado de privação e, ao mesmo tempo, sonhando em "fazer a América" mesmo depois de já haver retornado de lá.

No mesmo espírito de oração, resolvi repetir a sequência de perguntas feitas por Tevie e acrescentei: "Meu Pai Celestial, que caminho devo seguir e me proporcionará a maior realização pessoal, profissional e financeira? Que profissão devo desempenhar para me auxiliar a cumprir satisfatoriamente os propósitos de minha existência? Como devo aplicar os talentos e os dons divinos que o Senhor me concedeu, mesmo que eu desconheça plenamente quais são esses dons? Como posso gerar riqueza para mim, para os que estão ao meu redor e para a sociedade em geral?".

Subitamente, um sentimento inesquecível tomou conta de meu coração, minha mente e meu espírito. A resposta foi bastante clara. Naquele instante, senti que deveria seguir a área da educação, a área do ensino, a área da formação de pessoas.

Tão logo esse pensamento se cristalizou em minha mente, a próxima pergunta que fiz foi: "Mas como farei isso?". E a resposta silenciosa foi: "Pedi e recebereis, buscai e achareis, batei e ser-vos-á aberto".

Após aquele instante memorável, não houve mais questionamentos, dúvidas ou incertezas sobre qual direção seguir. Eu sabia, no entanto, que tinha um imenso túnel escuro para percorrer. Descobri que, quando estamos em uma busca interior, seguindo o espírito de "pedi e recebereis, buscai e achareis", em algum momento, precisamos dar um passo na escuridão e confiar somente na fé. É como se Deus nos colocasse diante de um túnel escuro com luz suficiente para percorrermos apenas um ou dois metros, porém, tão logo caminhemos nesse percurso, logo recebemos um novo facho de luz de mais um ou dois metros.

Ter recebido aquela inspiração divina fez toda a diferença em minha trajetória pessoal e profissional, pois eu sabia que, a qualquer momento, eu poderia recorrer à mesma fonte da inspiração em busca de apoio, consolo, alento e direção. Aquela resposta me deu também mais certeza, confiança e força para perseverar no caminho a ser percorrido.

Coincidentemente, algumas semanas depois de ter recebido essa resposta, meu chefe me chamou em sua sala para uma conversa rápida. Ele explicou que a empresa passava por uma reestruturação e que meu nome estava na lista dos funcionários a serem demitidos. Não me deu muitas explicações e pediu apenas que eu reunisse meus pertences pessoais, dizendo que eu não precisava mais voltar ao trabalho no dia seguinte.

Sim, hoje sei que aquela mesma demissão que pôs fim à minha pretensa carreira de executivo foi a maneira que o universo encontrou para me dizer: "Agora chegou a hora de você seguir avante rumo ao solitário caminho da prosperidade. Siga em frente. Chegou a sua hora!".

Aquele período em que pude atuar como professor no centro de idiomas da universidade norte-americana foi, sem que eu soubesse na época, como um estágio importante em minha qualificação profissional.

E aquelas aulas de inglês em minha casa foram o embrião do surgimento da primeira escola Wizard neste país e o primeiro tijolo para a composição do Grupo Multi, que viria a se tornar a empresa líder no mundo em ensino bilíngue.

Quem diria que aquele professor que começou dando aulas em casa seria um dia convidado para acompanhar a Presidente da República, Dilma Rousseff, em sua visita à China? Quem poderia prever que aquele projeto se transformaria em um dos maiores grupos educacionais do país?

Quando contemplo todas essas realizações, com frequência lembro-me das palavras do autor inglês Robert Frost: "Havia duas estradas no bosque. Em determinado ponto, elas se separavam. Eu peguei a estrada menos percorrida, e isso fez toda a diferença".

As sete chaves de ouro da prosperidade

Hoje, tenho plena convicção de que podemos realizar tudo o que desejamos. Depois de concretizar meu sonho, posso dizer que o que me ajudou a ter sucesso foram alguns aspectos fundamentais, aos quais resolvi chamar de as sete chaves de ouro e vou compartilhar com você nas páginas a seguir. As 7 chaves de ouro da prosperidade me ajudaram a transformar uma atividade amadora e doméstica em um empreendimento multimilionário.

Da mesma maneira que consegui abandonar aquela cela imaginária criada por mim mesmo no passado, chegou a sua vez. Colocarei as chaves que abrem as portas da cela em suas mãos. É sua oportunidade de abrir a porta pesada e enferrujada que o aprisiona e correr livre para o mundo de seus sonhos.

Chegou a hora de você despertar o milionário que há em você.

Para despertar o milionário que há em você, lembre-se:

- O sucesso acontece quando a preparação encontra a oportunidade. Portanto, prepare-se e fique atento ao que acontece no mundo e ao seu redor.

- Se você quer ficar bem, trabalhe para os outros.

- Se você quer ficar rico, trabalhe por conta própria.

Mentalize:

- A prosperidade está em mim.

- Eu posso mais, muito mais.

- Há um milionário dentro de mim.

Capítulo 4

Chave de ouro I
Zere seu passado

S e sua intenção é realmente tornar-se um milionário, primeiramente você precisará zerar seu passado. É necessário limpar situações que não farão mais parte do seu novo futuro, para não ficar preso a elas sem conseguir ir para frente. Para isso, você precisará dar uma guinada de 180 graus em sua atitude mental e emocional.

Se, por falta de experiência, ao longo dos anos você tomou empréstimos, assumiu compromissos que não consegue saldar e acumulou um histórico indesejável de inadimplências, você precisará assumir uma nova postura perante si mesmo, sua família e a sociedade para poder livrar-se dessas correntes, que por tanto tempo lhe escravizam, tiram-lhe o sono e a paz de espírito.

Enquanto não se livrar dessas amarras financeiras, você continuará um indivíduo preso ao passado e não conseguirá progredir. Vou relatar uma experiência que tive com uma pessoa que conseguiu saldar suas dívidas mantidas por anos, cuja fonte era puramente de ordem emocional.

No começo de minha trajetória empresarial, tínhamos um cliente de franquia muito interessante. Ele era um empresário maduro, experiente e aparentemente bem-sucedido. Tinha uma linda escola, com ótimas instalações e com professores bem treinados, suas aulas eram de qualidade e seus alunos estavam satisfeitos. Esse franqueado era exemplar em todos os sentidos: investia em marketing, promovia eventos culturais, realizava atividades extracurriculares etc. Ele tinha só um probleminha: nunca pagava suas contas em dia. Pagava-as somente depois de receber muitas ligações, cobranças e advertências.

Ao analisar a situação, comprovamos que o problema não era falta de dinheiro, pois ele tinha uma bela casa, um bom carro, um ótimo movimento financeiro e sempre tinha recursos para viajar com a família. A questão era outra.

Certa vez, ele veio pessoalmente à sede da empresa e, apesar de seu crédito negativo, desejava fazer um pedido a prazo, que obviamente foi recusado. Então, pediu para falar comigo e prontamente o atendi. Depois de ouvir seu longo discurso que tentava justificar sua inadimplência, eu lhe disse: "Meu amigo, permita-lhe dizer algo que você já sabe. O motivo pelo qual você não paga suas contas não é falta de dinheiro. Você não paga suas contas porque você não quer pagá-las".

Depois acrescentei: "Se você me permitir ser mais franco, posso lhe explicar algo mais. Em minha opinião, durante sua infância ou adolescência, você provavelmente deve ter sofrido alguma espécie de trauma psicológico, e a situação negativa de antigamente acabou se manifestando agora em sua vida adulta. Por isso, você tenta tirar vantagem de alguém, pensando que isso lhe compensará pelo sofrimento do passado. Você tem agido assim por tanto tempo que até já se habituou, e agora aceita essa prática como algo normal".

Finalizei meus comentários assim: "Como tenho grande respeito e admiração por você, gostaria de lhe recomendar alguns ótimos cursos realizados por profissionais competentes, que poderão ajudá-lo a vencer essas situações emocionais não resolvidas do passado."

Ele ouviu atentamente minhas palavras. Ao final, perguntou: "E meu pedido? Vai ser liberado?". Eu lhe respondi: "Sim, ele vai ser liberado. Você só precisa acertar os valores pendentes e será imediatamente liberado".

Para minha surpresa e, certamente, para a surpresa dele também, ele acabou pagando os valores devidos e voltou para casa com seu pedido atendido. E o mais surpreendente foi que, daquele momento em diante, nunca mais atrasou seus pagamentos.

Existem alguns casos curiosos. Há algumas pessoas que, mesmo tendo condições, não pagam suas dívidas, motivadas por um espírito de vingança. Agem assim como se seu comportamento impróprio fosse capaz de reparar ou lhes compensar alguma situação adversa vivenciada no passado. Elas guardam o sentimento de que alguém lhes deve algo, não importa quem seja. Algumas pensam ser os pais, o irmão ou a irmã, o marido ou a mulher, a empresa, o chefe, o país, o governo e até Deus.

Outras aumentam suas dívidas motivadas pela inveja. Sem levar em consideração sua capacidade financeira, pensam assim: "Se meu vizinho trocou de carro, também vou trocar. Se meus amigos vão viajar ao exterior, também vou viajar. Se minhas amigas compram essa marca de bolsa, também vou comprar". Essas pessoas vivem se comparando aos outros. Assim, elas sofrem, pois sempre encontrarão alguém em condição mais privilegiada que a sua.

Há ainda os pobres de espírito, que não honram seus compromissos e se justificam dizendo: "Meus credores já têm tanto, e eu tenho tão pouco. Se eu não pagar essa conta não fará diferença para eles". Do ponto de vista financeiro, o valor devido talvez não faça muita diferença para o credor que possui uma riqueza infinita em seu interior. Contudo, lamentavelmente, a falta de pagamento faz toda a diferença na vida do devedor, que, por sua atitude condenável, acaba atraindo para si mesmo mais dissabores de ordem financeira, emocional e física.

Pessoas assim ainda precisam aprender o conceito milenar de que "tudo o que de ti sair a ti retornará". Se a bondade, a caridade e a generosidade saírem de seu coração, esses dons voltarão multiplicados em sua vida. Por outro lado, se você causar danos, prejuízos, infortúnios ao próximo, esses dissabores, mais cedo ou mais tarde, retornarão a você. Assim, engana-se quem acredita que, por deixar de pagar suas dívidas, elas desaparecerão. Pelo contrário, elas só aumentarão. Afinal, quem entende de juros recebe, quem não entende paga.

Observe o que o sábio educador J. Reuben Clark Jr. disse a respeito da escravidão causada pelos juros: "Os juros nunca dormem nem ficam doentes ou morrem; nunca vão para o hospital; trabalham durante domingos e feriados; nunca saem de férias; nunca fazem visitas ou viajam; não tiram tempo para lazer; nunca ficam sem trabalho nem ficam desempregados. Uma vez em débito, os juros são seus companheiros a cada minuto do dia e da noite; não há como evitá-los nem deles fugir; não se pode ignorá-los e sempre que com eles falhar em atender às suas exigências, eles o esmagarão".

Recentemente, um amigo me procurou muito entusiasmado. Ele disse com um imenso sorriso no rosto: "Estou me

sentindo tão bem, tão aliviado, tão confiante". "O que aconteceu?", eu lhe perguntei. E ele me confidenciou: "Depois de
cinco anos, consegui pagar todas as minhas dívidas e limpar
meu nome". "Meus parabéns por essa vitória, mas como você
conseguiu fazer isso?", perguntei. Sua resposta me comoveu:
"Eu já não aguentava mais carregar esse peso e resolvi fazer
qualquer sacrifício necessário para me livrar desse fardo. Para
você ter ideia, nos últimos meses até meus vales-refeição eu
vendi para poder quitar as dívidas".

Não há meio-termo na busca da prosperidade. Você é
quem decide a cada instante como lidar com seu dinheiro,
como controlar seus gastos, reduzir suas despesas, alocar seus
recursos e saldar suas dívidas. Diariamente, você está se apro-
ximando ou se distanciando da riqueza. A escolha é sua. E são
as pequenas escolhas diárias que determinam sua condição de
pobreza ou riqueza.

Como você pode perceber, as pessoas não deixam de pagar suas contas por falta de dinheiro; elas deixam de honrar
suas obrigações financeiras por falta de compreensão de si
mesmas e de sua relação com o dinheiro, pois as dívidas são
pagas em primeiro lugar pelo desejo, pela consciência, pela
disciplina, pelo equilíbrio emocional, pelo senso de responsabilidade e integridade. A transferência do dinheiro de uma
conta para a outra é apenas a demonstração física da independência e maturidade financeira de cada um.

Abandone antigos conceitos

Se sua intenção realmente é tornar-se um milionário, além
de zerar pendências financeiras, você precisará abandonar alguns conceitos falsos do passado e superar alguns traumas e

complexos armazenados em seu subconsciente desde a infância e a juventude a respeito do dinheiro.

Será necessário vencer barreiras emocionais, sejam elas reais, sejam imaginárias, pois não vemos o mundo como ele é, mas como nós somos. Isso significa que cada ser humano vive condicionado por padrões mentais, conceitos e imagens criadas e alimentadas por ele acerca de si mesmo e do mundo ao seu redor.

Podemos dizer que cada indivíduo possui potencialmente tanto a miséria quanto uma fonte inesgotável de riquezas em seu interior. Crescerá, expandirá e se manifestará a que for mais intensamente estimulada. Em resumo, prevalecerá a crença que você alimentar.

Por isso, acreditar em si mesmo, em sua capacidade de mudar sua condição financeira e em seu grande potencial de realização é a base para atrair para si mesmo riquezas sem limites. É cultivando seu espírito milionário interior que você descobrirá novas forças para alcançar aquilo que almeja.

De certa maneira, você está nesta existência terrena para possibilitar que propósitos divinos se manifestem por intermédio de você, tanto para seu próprio bem, como para o bem da humanidade. Portanto, para que tudo isso aconteça o primeiro passo é você acreditar em você mesmo.

Imagine, como um exercício de mentalização, que você e eu estamos conversando, sentados em uma bela sala, com todo o conforto e comodidade. A pergunta que eu lhe faço é: "Você acredita em si mesmo? Acredita que ficará rico? Acredita que terá grandes posses, que construirá fama e fortuna e será milionário, ou quem sabe multimilionário?".

Durante toda a sua vida, provavelmente você respondeu negativamente a todas ou à maioria dessas questões.

Quanto mais você conseguir responder afirmativamente a todas essas perguntas, mais força terá para impulsioná-lo ao seu propósito.

Teste sua perseverança

Quando você se propõe a mudar as coisas ao seu redor, uma coisa interessante acontece. É como se existissem forças que "puxam" você de volta ao seu estado atual, já familiar e estável, pois esse é um caminho conhecido, apesar de não mais desejado. Por isso, uma coisa eu posso garantir: em sua busca da prosperidade, seu desejo, sua disciplina e sua perseverança serão testados. Isso acontece sempre e aconteceu também comigo.

Poucos meses depois que eu havia iniciado meu modesto empreendimento, encontrava-me em uma situação financeira extremamente precária, na qual me contentava quando a receita era suficiente para cobrir as despesas do mês. Então, surgiu uma "oportunidade" para eu ganhar mais.

Um conhecido meu me disse que a empresa de consultoria Case Consultors, onde ele trabalhava, estava procurando um profissional com formação técnica e experiência comercial semelhantes às que eu tinha. Segundo ele, a vaga era praticamente minha, bastava eu me apresentar para a entrevista.

O salário oferecido era uma maravilha, especialmente quando comparado à quantia ridícula que eu levava para casa no final do mês. Depois de ter refletido sobre a proposta, concluí que aceitar a oferta de emprego implicaria o cancelamento de todos os meus projetos pessoais. Então, telefonei ao meu amigo, agradeci o contato e lhe informei que declinaria do convite.

Inconformado, ele levou o assunto ao seu diretor e, juntos, decidiram marcar uma entrevista comigo para expor melhor a proposta. Recusei uma segunda vez o convite mas, por causa de sua insistência e a título de cortesia, resolvi aceitar a entrevista.

Fui recebido pelo próprio Thomas Case, presidente da empresa, que estava acompanhado de seu vice-presidente. O contato foi breve, mas jamais esquecerei da sequência de perguntas e respostas transcorridas naquele encontro. Depois de ouvir uma breve exposição de meus projetos, planos, estratégias, metas e objetivo, o senhor Case perguntou-me: "Você acha que vai ganhar dinheiro com essas aulas de inglês?". "Sim", respondi. E ele continuou: "Você acha que vai ficar rico com estas aulas?". Respondi: "Acredito que sim". "Você acha que vai fazer fortuna com seus planos?" Eu disse: "Sinceramente, acredito que sim". Daí ele fez mais uma pergunta: "Você tem alguma razão para duvidar do êxito de seus planos?" Eu afirmei: "Não, senhor".

Como a entrevista foi feita em inglês, ele olhou para seu colega e exclamou: "*This man is unhireable!*" (este homem é "inimpregável").

Em seguida, despedimo-nos e cada um tomou seu rumo: ele atrás de seu profissional, e eu atrás de meus sonhos. Naquele dia, eu sabia que não haveria retorno. Seria vencer ou vencer.

Quando você estiver atrás de seus projetos, certifique-se de estar preparado para esses momentos de teste e definição de rumo, pois isso acontecerá com você. São esses "testes" que ajudarão você a ter certeza do que quer, para que não desista.

Não tenha pressa de começar

Como eu já disse, se você quiser ter uma vida financeira tranquila, continue trabalhando normalmente. Entretanto, se seu plano é ficar rico, milionário ou multimilionário, mais cedo ou mais tarde, precisará começar a pôr em prática seu projeto de vida.

Contudo, não tenha pressa, pois todo indivíduo que nutre o espírito milionário possui o próprio ritmo de desenvolvimento e tem um estágio particular de preparação e qualificação, independentemente da idade.

Alguns, já na adolescência, adquirem a maturidade suficiente para gerar grandes riquezas e outros precisam passar por várias experiências tristes e amargas até amadurecerem financeiramente. Há ainda aqueles que somente depois de se aposentar descobrem seu potencial milionário. Infelizmente, alguns passam a vida inteira sem nunca descobrir sua riqueza interior.

Quando você der início ao seu projeto pessoal, é importante diferenciar uma atividade geradora de renda da abertura de uma empresa. Observe que quando comecei a dar aulas de inglês eu não corri para abrir uma empresa. Eu exercia em minha casa uma atividade geradora de receita, mas não tinha ainda um negócio aberto. Isso só aconteceu depois, mais tarde.

Somente depois de haver testado e aprovado seu empreendimento é que saberá que chegou a hora de seguir um voo solo e assumir todos os encargos e as obrigações de manter o negócio próprio. Talvez, como aconteceu comigo, por algum tempo você precise manter duas atividades simultâneas, desde que elas não sejam conflitantes e concorrentes entre si.

Comece de onde você está

Ao analisar o perfil de milionários de todo o mundo, encontramos algumas semelhanças em sua trajetória. É motivador saber que 90% deles partiram do zero. Em geral, foram pessoas muito pobres no passado e começaram seus projetos com poucos recursos e com uma bagagem cheia de planos e metas. No início, caminharam quase sempre na solidão. Enfrentaram muitos desafios, rejeições e críticas. Andaram às cegas, sem saber muito bem aonde ir, com quem falar ou onde buscar respostas. No entanto, seguiram avante, em uma maratona incansável de erros e acertos até conseguirem vislumbrar a luz no final do túnel.

Portanto, alegre-se, pois você também pode prosperar. Zerando seu passado, você estará pronto para começar exatamente de onde está e chegar aonde pretende.

Assim como os vencedores, nessa trajetória você descobrirá seu espírito empreendedor. Quem tem espírito empreendedor não gosta de desperdiçar sua capacidade mental se preocupando com pequenos infortúnios, revezes e contratempos.

Para empreender, é preciso ter a mente focada no positivo e nas soluções. Seu pensamento criativo precisa estar voltado para seus maiores desejos: casas, terrenos, propriedades, automóveis, conforto, segurança, saúde, educação, lazer, recreação, viagens, passeios, roupas, comida boa, cama boa e tudo o que a riqueza pode proporcionar.

Para empreender, você precisa encontrar uma marca registrada na alma que se chama iniciativa. Pessoas com iniciativa irradiam otimismo e confiança por onde passam. Elas não esperam por ordens, mas agem por si mesmas, porque não conseguem ver o mundo acontecer ao seu redor sem dar sua contribuição.

Quem quer empreender deseja alcançar aquilo que jamais foi alcançado e não se contenta com a realidade dura e triste do momento nem se deixa abater pela adversidade ou por acidentes de percurso. Essa visão transporta essas pessoas à frente de seu tempo.

Pessoas empreendedoras acreditam em si e, mesmo reconhecendo suas limitações, destacam ao máximo seus pontos fortes. Embora possuam profundas convicções, sabem respeitar as opiniões dos colegas e procuram manter um bom relacionamento com todos.

São dotadas de grande poder de concentração, seus objetivos e suas metas são bem definidos, temperados com uma boa dose de ambição. Por fim, são extremamente disciplinadas na hora de agir, pois sentem imenso prazer em fazer o que fazem.

No entanto, alguém poderá perguntar: "O que faço se tenho o espírito empreendedor, mas neste momento estou endividado?". Descobri, ao longo dos anos, que a capacidade empreendedora de gerar elevadas somas de dinheiro e a competência para administrar e multiplicar os próprios recursos são duas ciências distintas e separadas.

Raramente, encontramos pessoas talentosas capazes de dominar desde cedo essas duas técnicas. Com frequência, encontramos ótimos empreendedores, porém com deficiência em lidar com as próprias finanças. Portanto, se você já se encontrou em uma situação financeiramente desastrosa, não desanime. Você é um ser humano normal. Também passei por isso e precisei de apoio para superar essa inabilidade. Não há nenhuma desonra no fato de a pessoa se encontrar em dificuldades, enfrentando reveses e contratempos financeiros.

Não importa quão desfavorável seja sua condição atual, jamais a aceite como permanente. O melhor a fazer é preparar-se. Procure aperfeiçoar-se na arte de administrar suas finanças. Primeiro analise, como eu disse anteriormente, qual é a fonte causadora de suas dívidas, e depois busque adotar um modelo extremamente rentável na administração das próprias finanças. Falarei mais sobre isso adiante. ·

Com frequência, as pessoas me perguntam: como você consegue tanta motivação para realizar seus projetos? Vou contar um segredo. Enquanto eu ainda estava na universidade, comecei a formar uma biblioteca pessoal com livros motivacionais sobre o relacionamento humano, técnicas de liderança e finanças. Esses livros me deram direção e preencheram o vazio de uma alma faminta em busca da autossuficiência.

Cheguei a ler mais de cem livros para entender alguns princípios essenciais de como motivar a mim mesmo na busca do sucesso pessoal e financeiro. Eram obras que continham técnicas simples, porém fundamentais, de como estabelecer objetivos e alcançá-los, como lidar com as adversidades, como superar limites e, finalmente, como construir uma vida de prosperidade crescente.

Essa imersão no mundo fascinante da literatura positiva me ensinou que para aumentar meus rendimentos primeiro preciso crescer, pois meus hábitos de lidar com o dinheiro determinarão o tamanho de minha conta bancária.

Conforme ensinou Napoleon Hill: "Cada adversidade traz consigo as sementes de uma conquista ainda maior". Isso significa que tudo que você já aprendeu, experimentou e vivenciou até este momento foi apenas uma preparação para as conquistas que estão à sua frente.

As leis do sucesso, felizmente, são universais e não discriminam cor, etnia, religião, cultura ou qualquer condição física ou social. As leis do sucesso são eternas, infalíveis e imutáveis. Foram tão válidas para os antigos faraós do Egito como serviram nesta geração para formar magnatas como Bill Gates, Steven Jobs, Sam Walton e tantos outros milionários em todo o mundo. Elas também se aplicam a você, a seu vizinho, a seu chefe, a um industrial, a um artista, a um dentista, a um professor, a um desempregado, a um executivo, e até mesmo ao indivíduo que atualmente esteja cheio de dívidas.

Se você realmente está comprometido em tornar-se um milionário, seu maior desafio será acreditar em si mesmo e em sua capacidade de fazer coisas simples para superar todas as pendências do passado. Dessa maneira, você estará apto a iniciar uma nova vida rumo à prosperidade.

Para despertar o milionário que há em você, lembre-se:

- Se você tiver dívidas, primeiro zere suas pendências.

- Não se deixe prender por falsas crenças do passado.

- Quem entende de juros recebe, quem não entende paga.

- Primeiro tenha uma atividade geradora de renda e só então abra uma empresa.

Mentalize:

- Eu acredito em mim.

- Minha mente está focada na prosperidade.

- Minha marca registrada se chama iniciativa.

- Possuo uma fonte inesgotável de riquezas em meu interior.

Capítulo 5

Chave de ouro 2
Sonhe acordado

Use sua capacidade de sonhar

Descobri que todos os milionários têm algo em comum em sua natureza: a capacidade de sonhar. Esses empreendedores vivem quase como se fossem hipnotizados pelos próprios sonhos. Eles sonham com cenários ainda não criados, com caminhos ainda não percorridos e com produtos e serviços ainda não lançados pelo mercado. Esses realizadores de sonhos aprenderam a pensar grande e a começar pequeno.

Gosto muito dessa descrição de César Souza, consultor, autor e palestrante: "Realizadores de sonhos estão à frente de seu tempo. Possuem senso de liberdade para escolher seu caminho e uma mistura de ousadia e coragem. Não têm medo de correr riscos, não aceitam o não. Vão e fazem o que antes parecia impossível. Apesar do dinamismo de tocarem vários projetos ao mesmo tempo, os realizadores de sonhos não perdem o foco, não desperdiçam tempo nem energia com tarefas que não fazem parte do sonho".

Os empreendedores milionários aprenderam a sonhar acordados. Isso significa sonhar com pé no chão e ter uma consciência constante de renovação pessoal, sem receio de abandonar antigos modelos mentais enraizados em seu subconsciente ao longo dos anos e de substituí-los por uma nova dimensão emocional e espiritual, quase sempre ignorada pela maioria.

Esse é um processo que deve começar com você e por você. Quando sonha com alguma coisa ou com uma transformação pessoal, você precisa envolver a mente, o coração e o espírito. É por isso que um sonho ardente é a ferramenta mais poderosa de que você pode dispor para alcançar o sucesso. Não é apenas um simples anseio vago e impreciso. Para ter chance de se realizar, seu sonho precisa se transformar em uma obsessão com a qual você dorme, acorda e convive 24 horas por dia.

James Allen, autor da obra *As a man thinketh* (Como um homem pensa), declarou:

> Os sonhadores são os salvadores do mundo. Como o mundo invisível mantém o mundo visível, o homem, por meio de todas as suas experiências, também é alimentado por belas visões dos sonhadores solitários. A humanidade não pode esquecer seus sonhadores; não pode deixar seus ideais murcharem e morrerem; estes a fazem sobreviver; ela os tem como as realidades que um dia há de ver e conhecer. Compositores, escultores, pintores, poetas, profetas e sábios são os construtores do outro mundo, os arquitetos do céu. O mundo é belo porque eles existem. Sem eles, a humanidade laboriosa morreria.

Defina exatamente o que você quer

Mais cedo ou mais tarde, você precisará definir exatamente o que deseja alcançar na busca da prosperidade. Talvez você já tenha as próprias respostas e já esteja adiantado na direção certa. Se for assim, meus parabéns! Você está no caminho seguro para alcançar seu primeiro milhão. Se você, porém, encontra-se em um dilema semelhante àquele em que eu me encontrava, sem saber que rumo tomar, agora é hora de você se perguntar:

- Qual é meu sonho?
- O que realmente quero?
- O que desejo fazer da vida?
- Quem quero ser na sociedade?
- Qual é o legado que quero deixar para o mundo?

Enquanto não parar e responder a essas perguntas de forma muito clara, sincera e honesta, você continuará como um barco à deriva, jogado de um lado para outro, de acordo com as ondas e os ventos do momento. Sem essa definição, você jamais atingirá um destino satisfatório.

Se tudo é criado em primeiro lugar na dimensão mental, então, você precisará trabalhar com a mente para que ela seja sua aliada na realização de seus sonhos.

Sugiro, para isso, que você passe um fim de semana, um dia ou uma tarde consigo mesmo. Escolha um momento livre de interrupções e interferências. Reserve um tempo de qualidade. Você poderá espairecer, desligar-se da rotina, analisar, refletir e meditar sobre seus sonhos e objetivos e sobre as novas posturas necessárias para atingi-los.

Nessa oportunidade, dê a si mesmo a chance de rever seus valores, ideais e objetivos. Dê um tempo para você mesmo e analise para aonde você está indo e aonde quer chegar. Pense profundamente em quem você realmente é e por que está aqui. Aproveite para considerar todas as possibilidades no âmbito pessoal, familiar, espiritual, profissional e financeiro.

Da mesma maneira que um arquiteto mentaliza um projeto e depois o transfere para o papel, agora você transferirá seus sonhos armazenados no fundo da alma para o papel. Faça isso por meio de um exercício que eu chamo de *brainstorming* pessoal.

Faça seu *brainstorming* pessoal

- Pegue uma folha de papel e uma caneta (ou o computador, se desejar).
- Escreva tudo o que lhe vier à mente na área de anseios, objetivos, aspirações, ideais e sonhos.
- Somente escreva, sem questionar ou tentar entender, explorar ou detalhar.
- Permita que sua imaginação conceba seus sonhos mais ousados.
- Seja o mais abrangente possível na relação de aspirações, sem se ater a nenhuma delas especificamente.
- Não tenha pressa. Use o tempo que for necessário, pois esse é seu momento.
- Escreva o que lhe vier à mente, por mais ousados que seus desejos e pensamentos possam parecer.
- Não importa se seus ideais parecem estar fora de seu alcance no momento. Se estiverem, é por isso mesmo que são chamados de sonhos.

É essencial considerar tudo aquilo que está escondido em seu interior, até mesmo seus sonhos mais audaciosos.

Não se preocupe com a forma pela qual seus sonhos se realizarão. A história tem demonstrado que o próprio universo provê meios de alterar seu curso para atender às reivindicações daqueles que, determinadamente, procuram alcançar seus objetivos específicos.

Agora, tendo definido cada objetivo, você fará um exercício mental que consiste em mentalizar e repetir aquilo que deseja obter. Você precisará formular uma série de afirmações positivas referentes a cada item. Não faça afirmações negativas. Por exemplo, se seu objetivo é ser próspero, rico, milionário, não mentalize frases assim:

- Quero deixar de ser pobre.
- Já cansei da pobreza.
- Quero deixar a pobreza para trás.

Se você mentalizar uma frase negativa sobre a pobreza, sabe o que acontecerá? A pobreza aumentará! Seu cérebro vai atrair, gravar e reforçar a imagem da pobreza. Quer ver a prova disso? Se eu disser "Não pense no vermelho", em que cor você pensou?

Se, inicialmente, não conseguir mentalizar suas afirmações, você poderá escrevê-las. Daí, repita para si mesmo suas frases pela manhã, à tarde e à noite, por tempo indeterminado.

Não se preocupe de que forma elas se realizarão. O gesto de especificar, escrever e projetar uma imagem é muito mais valioso que suas habilidades atuais percebidas ou suas realizações do passado.

Mentalize suas afirmações positivas até esses desejos fazerem parte de você, até se tornarem uma obsessão e fazer parte das fibras de seu coração, sua mente e seu espírito. Ao atingir esse ponto, prepare-se para testemunhar acontecimentos maravilhosos em sua vida.

Talvez você questione esse conceito, duvide dele ou critique-o. Não importa. Faça-o assim mesmo. Assim como você não entende muito bem como funciona a eletricidade, pode ter certeza de que se colocar o dedo na tomada levará um choque. Da mesma maneira, talvez você não entenda muito bem os poderes da visualização, da mentalização e da repetição, mas, ao realizar essa prática diariamente, logo terá a certeza de que esses princípios se aplicam também a você.

Tente e comprove. Os resultados serão surpreendentes.

Quando estiver alinhado mentalmente com seus maiores sonhos, pergunte a si mesmo:

- Estou disposto a me sacrificar para realizar esses sonhos?
- Estou disposto a trabalhar 12, 14 ou 16 horas por dia na busca desses sonhos?
- Estou disposto a fazer tudo o que puder para alcançar esses objetivos?
- Estou disposto a deixar certos prazeres, conveniências e confortos de lado para empenhar-me na obtenção desses ideais?

Se suas respostas forem positivas para cada pergunta acima, meus parabéns! Você está dando os primeiros passos para despertar o milionário que há em você. Tenho certeza de que você será recompensado abundantemente por sua disciplina.

Theodore Roosevelt disse uma frase que aprecio muito: "É preferível arriscar coisas grandiosas, alcançar triunfo e glória, mesmo expondo-se à derrota, do que formar fila com os pobres de espírito, que não gozam muito nem sofrem muito, porque vivem nessa penumbra cinzenta, que não conhece vitória nem derrota".

Explore o próprio talento

Você deve considerar os próprios talentos na busca de seu sonho. Em geral, temos a tendência de imitar os outros, fazer o que os outros fazem, cantar a mesma música, pintar o mesmo quadro. Parece que seguir o próprio caminho é bastante difícil, mas, para ter sucesso duradouro, possivelmente você precisará deixar as fileiras da multidão e marchar ao som da própria melodia.

Pense por um instante nos grandes realizadores de todos os tempos. Será que eles tentaram imitar alguém? Será que eles quiseram repetir o que já havia sido feito? Será que se sobressaíram todos na mesma área? Não. Cada um explorou o próprio talento e muitos indivíduos se destacaram por fazer algo inovador e diferente dos modelos conhecidos na época. Contudo, não fique adiando a realização de seu sonho pensando somente em algo que nunca existiu antes. Você terá mais chances de sucesso em um empreendimento cujo objetivo é aprimorar um conceito já existente.

Encontrei meu sucesso ensinando inglês. Observe que ensinar inglês não é um conceito inédito, não inventei essa atividade. Esse mercado existe desde a época em que os homens resolveram construir a torre de Babel.

Costumo dizer que o segredo para alcançar o sucesso em qualquer área é simples. Você precisa de um produto ou serviço com potencial de grande demanda. A qualidade de seu produto ou serviço precisa ser superior à da concorrência.

Você precisa entregar seu produto ou serviço mais depressa e melhor que a concorrência, e, finalmente, praticar um preço justo, que não é necessariamente o preço mais barato. Todo consumidor está disposto a pagar mais por um produto ou serviço com essas características.

O sucesso das escolas que compõem o Grupo Multi está fundamentado nesses quatro princípios. Buscamos um conceito de grande demanda (somente 2% da população brasileira fala uma segunda língua). Lançamos uma proposta de ensino de qualidade com certificação internacional (nossos alunos conseguem certificação internacional e atingem a maior pontuação dos exames TOEIC® – Test of English for International Communication – na América Latina). Fazemos nossa atividade mais rapidamente que a concorrência (o aluno começa a falar inglês desde a primeira aula). E praticamos um preço justo (nossos cursos são acessíveis para grande parte da população).

Estabeleça seu ciclo do sucesso

Qualquer que seja seu sonho ou projeto, você precisa imaginá-lo e executá-lo dentro do ciclo ou roda do sucesso (veja a figura da página seguinte). São sete passos, alguns racionais, outros emocionais, e alguns que reúnem esses elementos.

Em primeiro lugar, todo projeto começa com uma simples ideia, com um objetivo a ser alcançado. Nessa fase, a ideia não está pronta, é apenas um conjunto de pensamentos fragmentados em sua mente, semelhante a um quebra-cabeça com muitas peças. À medida que você exerce seu poder criativo, gradualmente ela vai ganhando forma, beleza e vida.

Em seguida, a ideia evolui a ponto de se transformar em uma estratégia que visa alcançar o objetivo proposto. Nessa

O ciclo do sucesso

fase, considera-se o público-alvo, o potencial de mercado, as características do setor, o canal de distribuição, o marketing e o atendimento ao cliente.

Depois, vem um passo muito importante: transformar esses conceitos, essas ideias e essas estratégias em um plano de ação. Isso consiste em transferir da mente tudo o que você imaginou, visualizou e concebeu para o papel. Nessa fase, você define o que fará em cada etapa do projeto, do início ao fim.

Ao definir a estratégia e um plano de ação, você está pronto para a parte mais importante: a ação. Chega uma hora de parar todo o planejamento, a organização e a imaginação e partir para a execução do plano. Nessa fase, muita gente desanima, desiste e fracassa. Alguns são excelentes planejadores, mas péssimos executores.

Ao executar seu plano, você descobrirá algo muito interessante. Alguns planos dão certo e outros não. Os pessimistas reagem assim: "O plano era tão bom, as perspectivas eram tão boas, o mercado estava tão favorável! Não sei por que não deu certo". É assim que os fracassados desistem.

Desse modo, tenha certeza de que nem sempre todos os planos vão dar certo todas as vezes. Essa situação nos leva ao próximo passo: avaliação e correção de rumo. Quem está comprometido com o sucesso nunca aceitará um não como resposta.

A correção de rumo, portanto, é um elemento vital e contínuo em todo empreendimento bem-sucedido. Nesse momento, mudamos o que precisa ser mudado e perpetuamos as boas práticas já adotadas.

Cuide de suas emoções e suas reações

O passo seguinte do ciclo do sucesso é talvez o mais desafiador de todos, pois está relacionado ao seu íntimo, aos seus pensamentos e ao seu sistema de crenças. Vou descrever esse elemento tão importante de natureza emocional.

Ao visualizar seu empreendimento, é importante entender a correlação entre os pensamentos e a obtenção de resultados favoráveis ou negativos, pois, mais importante do que o que acontece com você é como você reage ao que ocorre.

Um mesmo evento pode se manifestar na vida de duas pessoas e cada uma reagirá de uma maneira: uma poderá se irritar, se exaltar, se rebelar, sofrer, padecer, ao passo que a outra poderá controlar-se, conter-se e transformar-se.

Qual a diferença entre as duas? A maneira de interpretar, processar e organizar os próprios pensamentos, os sentimentos e as emoções. Você já deve ter notado que gente pobre e gente rica pensam de maneira muito diferente em relação ao dinheiro, às pessoas e ao mundo ao seu redor. Suas ações e reações são regidas por seu modo de pensar e, consequentemente, seu estado de paz ou agitação, alegria ou tristeza, amor ou ódio, riqueza ou pobreza, sucesso ou fracasso serão determinados pelo resultado direto dos comandos que seu cérebro envia ao corpo físico.

A estrutura humana, portanto, é um espelho e contém a expressão exata da maneira como você organiza, interpreta e processa seus sentimentos, pensamentos e eventos do cotidiano. De forma inconsciente, você condiciona seu cérebro a agir e a reagir de determinada maneira com base nos impulsos que você recebe e envia à mente a cada instante.

O professor Trevisan, conferencista internacional, ensina: "A mente consciente é a mente racional, objetiva; é a mente que pensa, analisa, raciocina, deduz, tira conclusões, seleciona, censura, dá ordens, determina, imagina; é a mente servida pelos sentidos; é a mente em estado de vigília e responsável pelo que você é. A mente subconsciente é a mente subjetiva, impessoal, não seletiva, cujo papel é cumprir as ordens que recebe da mente consciente por meio do pensamento. Tudo o que a mente consciente aceita como verdadeiro, a mente subconsciente também aceita e realiza. A mente subconsciente, que é ligada ao espírito, tem força infinita, capaz de realizar todos seus desejos, mas nunca age por conta; ela age de modo todo especial determinado pelo pensamento".

Portanto, seja específico naquilo que busca. Quanto mais específico você for, maior será sua chance de acertar o alvo. Ideias e pensamentos vagos não têm força suficiente para gerar a energia capaz de transformá-los em realização física. Uma meta vaga ou genérica, sem um plano de ação definido, não passa de uma ilusão.

Lembre-se de que todo projeto materializado surgiu primeiro em pensamento, na mente de seu idealizador. Não importa a natureza do projeto, antes de ser executado, alguém teve de concebê-lo, visualizá-lo, imaginá-lo. Esse é um princípio eterno.

Sonhar é viver

Quando perdemos a capacidade de sonhar, perdemos o sabor pela vida. Observe o comentário do doutor Norman V. Peale:

> Há um modo de saber se você já está velho: qual é seu estado de espírito ao levantar-se pela manhã? A pessoa jovem acorda com uma estranha sensação de ânimo, uma sensação que talvez não seja capaz de explicar, mas é como se dissesse: 'Este é meu grande dia. Este é o dia em que acontecerá uma coisa maravilhosa'. O indivíduo velho, não importa a idade, levanta com o espírito indiferente, sem a expectativa de que acontecerá qualquer coisa importante. Será apenas um dia como outro qualquer. Talvez espere que não seja pior. Algumas pessoas mantêm o espírito da expectativa aos 70 anos, outras o perdem cedo na vida.

Lembre-se de que sonhar faz bem para o espírito, traz inspiração para a alma, ajuda-o a sentir seu potencial divino. Marque profundamente em seu coração que o desejo de vencer é o segredo do sucesso, mas o sonho é o segredo do desejo.

Por isso, a partir de agora, passe a meditar continuamente sobre seus sonhos. Comece a sentir-se como se eles já tivessem se concretizado. Cultive uma fé inabalável com a certeza de que seu sonho já lhe pertence. O elemento fé na busca de seus ideais é muito importante, pois quanto mais emoção e paixão você colocar em seu íntimo, em seu coração, em sua alma, mais rapidamente acontecerá a materialização de seus desejos.

Por meio de seus pensamentos, de suas palavras, de seus sentimentos e de sua fé, você estará atraindo a realização plena de seus ideais mais elevados e nobres. Por isso, sonhe alto e deseje grande.

Para despertar o milionário que há em você, lembre-se:

- Defina exatamente o que deseja alcançar.
- Quanto mais especifico você for, maior será sua chance de sucesso.
- Faça um *brainstorming* pessoal de seus sonhos e ponha no papel tudo o que está guardado no fundo de sua alma.
- Visualize-se já de posse de seus desejos e já tendo realizado seus sonhos.
- Diariamente, sinta em seu íntimo o prazer da conquista e da vitória.
- Siga o ciclo do sucesso de transformar sua estratégia em um plano de ação; execute, avalie, corrija o rumo, abandone o que não deu certo e perpetue as boas práticas.
- Pense grande, comece pequeno.

Mentalize:

- Eu sonho alto.
- Eu penso grande.
- Eu pago o preço do sucesso.
- Eu acredito em meus sonhos.

Capítulo 6

Chave de ouro 3
Deseje empreender para enriquecer

O desejo gera fortuna

Quantas vezes você ouviu dizer que dinheiro faz dinheiro? Afirmo, veementemente, que o dinheiro por si só não faz dinheiro. Considere por exemplo as aplicações financeiras de países com economias estáveis: se considerarmos a inflação do período e descontarmos o Imposto de Renda sobre o ganho, logo concluiremos que o acréscimo é mínimo. Há também inúmeras pessoas que herdaram grandes fortunas ou ganharam muito dinheiro na loteria e acabaram perdendo tudo após alguns anos por não saber como lidar com a quantia e multiplicá-la.

Portanto, não é apenas o dinheiro que o torna uma pessoa próspera. Então, se dinheiro não faz dinheiro, como é possível ser uma pessoa próspera?

O que realmente tornará você uma pessoa próspera será seu desejo de empreender aliado à razão e ao espírito bem nutridos com pensamentos nobres e elevados. Esse é o caminho para conquistas e realizações sem limites. O desejo profundo, sincero e honesto é a matéria-prima mais valiosa que você pode ter ou desenvolver para alcançar seus sonhos.

O desejo constrói pirâmides, pontes, rodovias, muralhas, estádios, templos, descobre novas terras, novos planetas, novas estrelas, desvenda os mistérios da ciência, cria pinturas e esculturas. Enfim, tudo o que você contemplar ao seu redor é o reflexo materializado do desejo de algum indivíduo.

Você pode estar se perguntando: mas empreender é a única maneira de ficar milionário? Não. Temos cientistas, médicos, advogados, autores, executivos internacionais de alto nível que chegaram a essa condição, mas eles representam menos de 5% dos novos milionários. A maioria esmagadora vence pelo espírito empreendedor. É importante dizer que esses menos de 5% que venceram em sua esfera de atuação foram grandes empreendedores na própria área. Assim, o caminho da riqueza passa necessariamente pelo empreendedorismo, seja em um voo empresarial ou inserido em um contexto mais amplo em uma organização.

Deseje vencer mais que respirar

Não importa qual seja sua situação financeira atual; para você alcançar a condição de milionário, precisará desejar muito vencer e ter o próprio negócio. Esse desejo tem de ser vital, ou seja, tem de ser tão grande e forte quanto sua necessidade de respirar. O relato abaixo ilustra muito bem esse princípio:

> Em uma bela manhã ensolarada, em meados de 400 a.C., Sócrates, o filósofo grego, encontrava-se meditando próximo a

uma lagoa. Subitamente, um jovem interrompeu sua concentração com a seguinte pergunta: "O que preciso fazer para obter sabedoria?".

Diante dessa pergunta universal, o filósofo o conduziu até a lagoa, afundou-lhe a cabeça na água e segurou-a fortemente. O jovem conseguiu se livrar da força exercida pelo filósofo e perguntou:

"O que está acontecendo? Eu apenas lhe fiz uma pergunta e você tenta me afogar!"

O filósofo retrucou: "Você deseja obter sabedoria?"

E o jovem respondeu: "Sim, isso é o que mais desejo".

Novamente, Sócrates afundou a cabeça do rapaz e, apesar de sua resistência, segurou-a fortemente debaixo da água por alguns segundos. Desesperado, o rapaz gritou: "O que você está fazendo comigo? Só quero saber o que fazer para obter sabedoria!".

E pela terceira vez o filósofo grego imergiu a cabeça do jovem na água.

O jovem inconformado, debatendo-se, falou: "Você está maluco? Vim procurá-lo para saber como vencer na vida e você tenta me tirar a vida?".

E Sócrates respondeu: "Quando você desejar a sabedoria como desejou o ar para respirar, então alcançará a sabedoria".

É por isso que afirmo: quando você desejar o sucesso como deseja o ar para respirar, então alcançará o sucesso. Para isso, seu desejo precisará tornar-se uma obsessão constante em seu pensamento.

Vá ao encontro daquilo que você quer

Para conseguir o que deseja, você precisará acreditar tanto no que pretende realizar a ponto de se visualizar já de posse daquilo que quer e desfrutando dos benefícios advindos dessa conquista.

Por exemplo, o empreendedor que deseja abrir uma escola precisa imaginar-se já proprietário da mais bela escola de sua cidade. Ele precisará visualizar as instalações bem iluminadas, as salas de aula mobiliadas e decoradas, a recepção espaçosa, os banheiros limpos, o moderno laboratório de multimídia, o amplo estacionamento com os carros movimentando-se, centenas de alunos entrando na escola, assistindo às aulas, a formatura deles, a satisfação no rosto dos alunos e em seu rosto, o sucesso deles e o seu.

Se você deseja, por exemplo, obter a casa de seus sonhos, procure imaginar-se já de posse dela. Sinta-se como proprietário de uma casa espaçosa, ampla e bela. Visualize o terreno, a fachada, os cômodos, a decoração, os lustres, as cortinas, a mobília, as plantas, as flores, as árvores, a garagem, a piscina, a churrasqueira, a sauna, a quadra poliesportiva etc. Veja e procure sentir, vislumbrar, visualizar. Saiba que você jamais alcançará aquilo que não desejar com sentimento, emoção e paixão.

Dedique toda a sua energia àquilo que você deseja alcançar. Confúcio certa vez afirmou: "Se o homem não pensar no que está distante, achará triste o que está ao seu redor". Falando de sonhos e conquistas, Richard Devos, o dinâmico fundador da Amway Corporation, declarou: "É impossível vencer uma corrida, a menos que se aventure a correr; é impossível conseguir a vitória, a menos que se ouse trabalhar. Nenhuma vida é mais trágica do que a do indivíduo que acalenta um sonho, uma ambição, sempre desejando e esperando, mas nunca dando uma chance a si mesmo".

Não espere que o mundo venha até você. O conceituado escritor americano Keith DeGreen faz uma bela consideração a respeito disso:

> Todos temos uma tendência natural de pensar que em determinada hora o mundo inteiro baterá à nossa porta. Da próxima vez que se achar sonhando com alguém ou alguma coisa indo a seu encontro, pare de pensar e resolva fazer o que for necessário para ir ao encontro de sua grande oportunidade.
>
> Precisamos resistir à tendência de acreditar que o mundo virá até nós, que as coisas acontecerão para nós. Em vez disso, somos nós que devemos ir ao encontro do mundo. Se na verdade o mundo alguma vez caminhar até a sua porta, só o fará depois de descobrir quem você é e onde poderá ser encontrado. No entanto, inicialmente, você precisa fornecer essa informação ao mundo.
>
> Você deve deixar claro e informar ao mundo que você está aqui, que tem algo valioso para oferecer e está ansioso para concretizá-lo. Seu talento pode ser enorme, seu potencial pode ser excelente, mas talento e potencial não apresentados ao mundo de nada valerão.

Para ter sucesso, você deve sair da multidão. Portanto, a partir de agora, decida seguir seus instintos profundos de empreendedorismo e realização.

A solução está em você

Se você quer viver em uma condição melhor, não adianta tentar consertar sua situação atual de fora para dentro. Em vez de se preocupar tanto com o mundo exterior, você deve se preocupar com o mundo interior.

Lembre-se diariamente de que você nasceu para progredir e prosperar. Você foi criado com plena capacidade de pensar, desejar, sonhar, lutar, empreender, realizar, construir, enfim, vencer.

Agora chegou o dia abençoado de sua emancipação e independência financeira. Chegou o momento de despertar o milionário que há em você. A alegria, a felicidade, as riquezas, tudo isso lhe pertence e foi criado para você. Essas coisas estão aguardando ansiosamente que você as reivindique. Para isso, você precisará de humildade suficiente para buscar a inspiração divina, que lhe suprirá com todas as respostas que procura.

Finalmente, depois de percorrer uma longa caminhada em busca de uma vida dinâmica, produtiva e próspera, você descobrirá que o caminho para a realização de seus sonhos começa em seu íntimo. Esse parece ser o segredo da paz e da serenidade desfrutadas por milhões de pessoas que descobriram o atalho simples, tranquilo e seguro rumo ao seu verdadeiro eu.

Por isso, decida agora mesmo fazer qualquer esforço necessário para mergulhar no âmago do seu ser e, sem nenhum receio ou preconceito, explorar o potencial ali instalado. Somente assim você será capaz de atingir a plena estatura emocional, intelectual e espiritual para despertar o milionário que há em você.

Para despertar o milionário que há em você, lembre-se:

- Dedique seu tempo e sua energia àquilo que deseja alcançar.

- Não espere o mundo vir até você; você precisa ir ao encontro do mundo.

- Veja-se já de posse do que mais deseja alcançar.

Mentalize:

- Eu mereço ser milionário

- Eu nasci para progredir e prosperar.

- Eu acredito em meu sucesso.

Capítulo 7

Chave de ouro 4
Determine quanto quer ter

Determine seu valor

O dinheiro que você recebe hoje, por fazer o que faz, é exatamente o que você merece. Não existe injustiça em relação ao seu salário ou à sua remuneração, ao seu chefe, à empresa, à política salarial, ao governo. É você quem escolhe ganhar o que ganha, porque escolheu fazer o que faz, onde faz e receber proporcionalmente por isso.

Vou compartilhar aqui algo que não é dito em faculdades e não se encontra nos melhores livros de gestão. De maneira invisível, todo indivíduo carrega um cartaz em que está estampado o próprio valor em moeda. Se pudéssemos ler esses cartazes, eles indicariam: um salário mínimo por mês, cinco salários mínimos por mês, dez salários mínimos por mês.

A pessoa que ganha um salário mínimo por mês acha que não vale mais que essa quantia. Caso contrário, faria qualquer empenho necessário para ganhar mais. O mesmo acontece com quem possui um cartaz invisível que indica cinco salários mínimos por mês. Ela vê a si mesma como uma pessoa que vale exatamente cinco salários mínimos mensais e nada mais. Tanto isso é verdade que vem recebendo esse valor há anos e parece estar bem acomodada e satisfeita com sua remuneração.

Sei que isso é chocante, mas é importante para você pensar e analisar: que valor está estampado em seu cartaz?

Você recebe o que recebe por fazer o que faz. Para ilustrar essa realidade, vou usar um exemplo que imagino seja conhecido de todos: alguém que foi desafiado a se qualificar para uma posição de maior responsabilidade na empresa. Foi-lhe prometido um aumento salarial em decorrência da nova atuação. Depois de vários meses, sem observar reação nenhuma por parte do colaborador, a empresa acaba contratando alguém de fora para preencher a vaga de maior remuneração.

Por que será que isso acontece? Porque a pessoa até gostaria de ganhar mais, porém, no fundo, em seu cartaz invisível ela não se julga digna ou merecedora de um valor maior ou então não está disposta a fazer o necessário para aumentar o próprio valor.

Em sua falsa modéstia, a pessoa insiste em aumentar seu currículo com cursos e projetos inacabados. A empresa, por sua vez, não pode remunerar a inércia ou a incompetência. Assim, por escolha própria, o funcionário mantém o mesmo posto, o mesmo ordenado, e acaba conquistando uma posição vulnerável na equipe.

Há ainda aqueles que afirmam: "Eu não sei o que fazer para melhorar meus rendimentos". É porque em seu cartaz invisível está escrito: "Aqui vai uma pessoa pelo mundo que não sabe o que fazer para aumentar seus rendimentos".

Felizmente, esse não é o seu caso. Você já é adulto esclarecido e instruído e ninguém precisa lhe dizer o que fazer.

Tenho certeza de que nem precisa consultar ninguém para lhe indicar como se tornar alguém com mais valor.

Essas respostas já estão dentro de você. O que está faltando, em primeiro lugar, é você mudar o valor estampado em seu cartaz invisível.

Um valor milionário

Você já pensou qual valor os milionários têm escrito em seu cartaz invisível? Quem possui o espírito milionário tem em seu cartaz as seguintes indicações: 1 milhão, 5 milhões, 10 milhões, e muito mais...

Contudo, eles não passaram para esse patamar em um salto. No início, havia escrito valores bem inferiores, que lhes deram a autoconfiança necessária para acreditar que no futuro poderiam atingir valores mais elevados. Isso também aconteceu comigo.

Quando comecei a dar aulas, estabeleci um valor invisível em meu cartaz. Na época, tudo o que eu queria era ganhar 10 mil reais por mês. Eu imaginava que, como professor, se eu chegasse um dia a receber esse valor, seria a pessoa mais realizada do mundo.

Quando finalmente atingi esse patamar, pensei assim: será que se eu mudar o valor de meu cartaz para 20 mil reais, esse conceito também funcionará? O tempo passou e a remuneração do valor invisível se concretizou.

A essa altura, a título puramente de experimentação, pensei: se o conceito funcionou com 10 mil reais e 20 mil reais, vamos logo mudar esse valor para 50 mil reais para ver o que acontece. Depois de comprovar que o conceito funcionava sempre, não importava o valor que estivesse no cartaz, não preciso mais contar o final da historia. O faturamento do Grupo Multi agora é uma informação pública e já superou a casa dos bilhões de reais.

O mais importante é que esse conceito é universal e funciona para qualquer pessoa que confie em seu potencial milionário. Quando você estabelece um valor para seu cartaz, compromete-se com você mesmo a entregar um valor similar para as pessoas com seu trabalho, e isso faz sua vida mudar, pois precisa modificar-se para fazer valer esse valor.

Já desafiei centenas de pessoas a aplicar esse conceito e fiquei impressionado com a quantidade de gente que me procura para dizer que conseguiu transformar sua vida com ele. Alguns me relataram:

"Mudei o valor em meu cartaz invisível e isso fez toda a diferença na minha vida financeira."

"Graças ao novo valor estampado em minha camisa já atingi meu primeiro milhão."

"Agora sei como é se sentir um novo milionário."

Gostaria de afirmar, com toda segurança, que esse mesmo conceito se aplica a você. Esteja certo de que o simples fato de mudar seu valor interior já desencadeará uma série de ideias e planos que lhe permitirão, em curto espaço de tempo, aumentar seus ganhos.

Com um novo valor estampado no peito, você será impelido a tentar o que nunca tentou, a fazer o que nunca fez, a ter o que nunca teve e a ser o que nunca foi.

No entanto, somente você poderá alterar seu valor invisível e, consequentemente, sua remuneração. Ninguém fará isso para você, nenhum chefe, empresa ou mercado. Se você continuar fazendo o que sempre fez, continuará obtendo os resultados que sempre obteve. Se deseja obter resultados diferentes, precisará fazer coisas diferentes.

Aumente seu valor

Vou demonstrar aqui um exercício prático para ajudá-lo a aumentar seu valor em moeda. Pegue uma folha de papel ou use o computador e descreva tudo o que você faz profissionalmente agora e sua remuneração atual.

Estabeleça o novo valor que você quer estampado em seu cartaz e escreva qual é. Em seguida, descreva em detalhes o que você fará para receber o que quer ter e a data que quer atingir esse valor.

Data:
Minha remuneração atual:
Descrição completa do que faço profissionalmente:

Minha nova remuneração:
**O que farei a partir de hoje para garantir minha
   nova remuneração:**
Data para alcançá-la:

Existe um pensamento inspirador, geralmente atribuído a Ralph Waldo Emerson, sobre esse tema: "O homem que pretende vencer na vida deverá se sujeitar a fazer aquilo que precisa ser feito, mesmo sem possuir gosto, tendência ou inclinação pela tarefa. Ao persistir na execução da tarefa, eventualmente acabará por fazê-la benfeita. Não que a natureza da tarefa tenha mudado, mas a habilidade de fazê-la terá aumentado".

Para despertar o milionário que há em você, lembre-se:

- Mude o valor estampado em seu cartaz invisível.

- Para ter um ganho diferente, você precisa fazer coisas diferentes.

Mentalize:

- Eu sou milionário.

- Eu tenho o espírito milionário.

- Eu acredito em meu potencial milionário.

Capítulo 8

Chave de ouro 5
Divida para multiplicar

Um modelo de sucesso

Ao observar a trajetória vitoriosa dos milionários, vemos que ninguém jamais realizou algo grande sozinho. Todos venceram por sua capacidade de trazer boas pessoas para perto de si e de formar, treinar, motivar e recompensar uma equipe que alcance a vitória junta.

Assim, é fato que quanto mais você for capaz de auxiliar outros a ter sucesso, mais sucesso você terá. Quanto mais você unir forças e dividir a glória, mais esta se multiplicará. Quem quer ganhar tudo sozinho, quem quer tudo para si, acaba sem nada no final, pois as pessoas não gostam de ficar perto de gente mesquinha ou egoísta.

Para formar seu empreendimento milionário, considere o benefício que você fará a inúmeras pessoas, e essa será a proporção de seu êxito.

Isso funcionou para mim. Duas vezes por ano, realizo o seminário "Como despertar o milionário que há em você".

Esta é uma de minhas grandes satisfações: poder acompanhar o processo de transformação na vida de centenas de pessoas empreendedoras, que acreditaram em si mesmas, em seu sucesso, em seus sonhos e, em um curto espaço de tempo, atingiram o *status* de milionárias.

Para alguns, esse processo de transformação foi gradual e lento, porém, para outros ocorreu tão rapidamente que eles mesmos se surpreenderam.

É natural que todo mundo deseje o sucesso, mas poucos têm um modelo de sucesso para seguir. Felizmente, meu sucesso profissional me possibilitou montar a maior escola de empreendedores do país e, graças ao modelo de franquia, que adotei desde o começo, já ajudei a formar mais de cem novos milionários nos últimos cinco anos no Brasil.

O mais importante é que a maioria deles começou do ponto zero. Cada um entrou para a rede de franquias com uma formação profissional e acadêmica distinta, mas todos com as seguintes características em comum: a paixão pela área de ensino, um forte espírito empreendedor e o compromisso da educação como um projeto de vida.

Transforme seu sonho individual em um sonho coletivo

Os empreendedores que venceram o fizeram graças à sua capacidade de transformar seu sonho individual em um sonho coletivo. Quando você acreditar suficientemente em você, em seu potencial multiplicador, estará pronto para dar um importante passo: influenciar as pessoas ao seu redor a abraçarem seu sonho.

Quando as pessoas ao seu redor se unirem a você na busca de seu sonho, seu empreendimento se transformará em algo muito maior que você mesmo. A pergunta que deve estar circulando em sua mente agora é: "Como fazer isso acontecer?".

Antes de responder, permita-me fazer uma ponderação: Você já observou como as pessoas malsucedidas são desconfiadas e estão sempre com o pé atrás? Elas não acreditam nos outros e pensam que alguém vai prejudicá-las e lhes passar a perna. Acham que os outros estão sempre tramando algo para tirar algo delas.

Às vezes, em um círculo social, deparo-me com pessoas assim, cheias de medo e desconfiança. Elas costumam perguntar: "Com tantas escolas em tantos países, você não tem medo de que alguém passe você para trás?". Costumo responder assim: "Eu deveria ter pensado nisso há 25 anos, quando comecei a dar aulas, mas não agora".

Todo empreendedor que possui o espírito milionário confia nas pessoas. Os donos das maiores empresas dão sempre um voto de confiança para quem trabalha junto com eles, pois sabem que a melhor maneira de expandir seus negócios e multiplicar sua capacidade empreendedora (e seus ganhos) é construindo uma equipe com talentos profissionais, que recebem justamente pelo que fazem e pelo tanto que colaboram.

Construa seu time de talentos

Em sua trilha para despertar o milionário que há em você, você empreenderá e, para isso, precisará formar seu time de talentos. Vou mostrar os sete princípios vitais para o sucesso na formação de uma equipe vencedora.

Os sete princípios das equipes vencedoras

Acreditar: O primeiro passo para criar um time vencedor é acreditar nas pessoas e em sua capacidade de realização. Acreditar é confiar, e a confiança é um valor para quem a dá e para quem a recebe, pois cria um laço capaz de dar solidez a qualquer time.

Treinar: Por realmente acreditar em sua equipe, você dedicará tempo e recursos para qualificar, capacitar e treinar seus profissionais. Equipes bem treinadas produzem quatro vezes mais que equipes sem capacitação. Desenvolver talentos é um dos desafios mais gratificantes de um líder bem-sucedido.

Motivar: Como líder de uma organização, você precisará ser o principal motivador daqueles que estarão sob sua gestão. Seus liderados serão um reflexo direto seu. Se você se apresentar cabisbaixo, abatido, mal-humorado, seus liderados vão agir da mesma maneira. Se você tiver energia e entusiasmo, contagiará a todos. As pessoas são mais motivadas pela valorização, pelo reconhecimento e pela oportunidade de crescimento profissional do que somente pela remuneração. Por isso, para reter talentos em sua equipe é essencial lembrar-se dos aspectos emocionais.

Delegar: Quem possui o espírito milionário precisa se familiarizar bem com o princípio da delegação. Os milionários e bem-sucedidos sabem que seu tempo e sua capacidade são limitados e por isso contam com o talento e a experiência dos membros de seu time.

Acompanhar: Delegação sem acompanhamento e prazo combinado para a entrega de tarefas é pura enganação, tanto para quem dá a ordem quanto para a quem recebe. Não confunda delegação com "delargação". Quem deixa a equipe solta, sem acompanhamento e cobrança, talvez nunca mais ouça falar do assunto delegado.

Avaliar: Outro aspecto importante para quem tem um time é, de tempos em tempos, reunir a equipe para avaliar resultados, estabelecer prioridades e corrigir o rumo. Muitas vezes, questiona-se a ordem dos cubos, quando deveria questionar-se a necessidade dos cubos.

Comemorar: Reserve sempre um tempo para comemorar os resultados alcançados. Você não precisa alugar um salão de festas, contratar uma banda e oferecer um banquete para cada comemoração. Diferentes conquistas exigem diferentes festividades. Há vinte anos, quando começamos a vender as primeiras franquias, cada vez que fechávamos um contrato, reuníamos a equipe e comemorávamos a conquista com pastéis e guaraná. O importante é o espírito de respeito, valorização e gratidão à equipe.

Crie um ambiente promissor

Aprendi como empresário que a empresa não dispensa ou promove ninguém. É o indivíduo que se inviabiliza ou se promove a cada dia. Com o passar do tempo, ele fica apenas aguardando o momento de sua demissão ou promoção ser formalizada.

Por isso, o papel principal do líder bem-sucedido é criar um ambiente empresarial saudável e promissor. Como um mentor constante, ele deverá ser incansável em sua missão de formar, treinar, motivar, acompanhar e finalmente comemorar as conquistas com a equipe. Existe uma história inspiradora para todos os líderes que têm essa missão:

> Havia um rapaz sem muita qualificação profissional que estava procurando emprego, e a única vaga que encontrou foi como vendedor de seguros. Ele nunca havia vendido nada antes, mas mesmo assim aceitou o trabalho. Depois de receber o treinamento inicial, saiu à rua em busca de clientes.
>
> Na primeira semana, não vendeu nada. Na segunda semana, vendeu um seguro. Na terceira semana, não vendeu nada, e na semana seguinte, fez apenas uma venda. Resultado: seu salário no final do mês foi pequeno. A situação se repetiu no segundo e no terceiro mês.

Desmotivado com sua remuneração baseada em comissões, procurou seu gerente e pediu demissão. O gerente lhe disse que não desistisse e convidou-o a assistir a uma palestra que seria proferida pelo presidente da companhia, na convenção nacional, no final de semana seguinte.

Bastante desanimado e já decidido a deixar o emprego, aceitou o convite apenas para não ofender o chefe. No dia agendado, compareceu ao evento. O auditório estava lotado de representantes comerciais, e o rapaz se sentiu meio encabulado e sem graça no meio de tanta gente experiente.

O presidente subiu ao palco, foi aplaudido e iniciou seu discurso dizendo: "Gostaria de parabenizar a todos vocês por serem excelentes profissionais de vendas". O pobre rapaz pensou: "Nossa, ele não me conhece". O presidente continuou: "Agora vou provar para vocês como realmente vocês são ótimos". O rapaz pensou: "Essa eu quero ver".

Então o presidente disse o seguinte: "Temos neste auditório cerca de mil pessoas. Há alguém aqui que nunca fez uma venda? Se houver, por favor fique em pé". Houve silêncio geral na plateia, todos olharam ao redor, mas ninguém ficou em pé.

E o presidente continuou: "Como vocês podem ver, todos são excelentes vendedores mesmo. Contudo, talvez vocês estejam pensando: por que alguns vendem mais e outros vendem menos?". O rapaz disse a si mesmo: "Puxa, ele leu meu pensamento. Era isso que eu queria saber".

O presidente então respondeu: "As estatísticas indicam que contatamos em média quinze pessoas para depois fechar uma venda. Cada um tem um histórico diferente de vendas. Alguns vendem mais e outros vendem menos". O rapaz pensou: "Eu devo ser o lanterninha desse pessoal". O presidente continuou: "Isso significa que quando vocês saem para vender, devem esperar receber 15 'nãos' antes de chegar o 'sim', pois o 'não' faz parte do 'sim'".

"Nossa, nunca pensei nisso! O 'não' faz parte do 'sim'", pensou.

O presidente acrescentou: "Portanto, daqui para a frente, quando vocês saírem para a rua para vender seguros, quero que vocês se alegrem ao ouvir o 'não', pois saibam que cada vez que ouvirem um 'não' mais perto do 'sim' vocês estarão. Vou pedir mais uma coisa: que vocês anotem diariamente quantos contatos fizeram e quantos 'não' levaram até chegar a hora do 'sim'. Vocês notarão que, com o tempo, sua habilidade melhorará e vocês não precisarão esperar 15 'nãos' até encontrar o 'sim'".

O presidente continuou: "A razão por que alguns vendem pouco é porque saem logo pela manhã e ouvem dois 'nãos' e então dizem para si mesmos: 'Hoje o dia não está bom para vendas'. À tarde, ouvem mais dois 'nãos' e voltam para casa frustrados. Quando a esposa pergunta como foi seu dia, respondem: 'Foi péssimo. Ninguém quis comprar nada hoje'. Daí, no dia seguinte, a mesma cena se repete e assim sucessivamente, dia após dia, até chegar o contato de número quinze. Então finalmente acontece a venda. O vendedor inexperiente pensa que após fechar uma venda, imediatamente o próximo contato que fará lhe dará um 'sim', mas isso não acontece, ele vai precisar subir toda a escada novamente. Agora eu faço uma pergunta: quem controla o 'sim' é o cliente ou o vendedor?".

A maioria respondeu que era o cliente, alguns ficaram confusos, mas o rapaz pensativo respondeu a si mesmo: o vendedor. Sim, isso mesmo. O vendedor controla o 'sim', pois quanto antes ele antecipar o maior número de 'nãos', mais cedo encontrará o 'sim'.

A palestra acabou e o rapaz voltou para casa com suas esperanças renovadas. Ele não pediu a conta, mas resolveu permanecer em sua posição e pôr à prova tudo o que presidente disse. Resultado: no mês seguinte ele bateu todas as metas de vendas e mais tarde foi o campeão de vendas regional. Após um ano, participou novamente da convenção nacional, porém daquela vez subiu ao palco para ser agraciado com o prêmio de campeão nacional de vendas.

Quando penso nessa experiência, as palavras do filósofo americano William James me vêm à mente: "Comparado ao que deveríamos ser, só estamos parcialmente despertos. Nossos instintos estão refreados, nossos planos controlados, apenas usamos uma pequena parte de nossos recursos físicos e mentais".

Não há nada mais recompensador do que o sucesso que você ajuda a criar. Enquanto viver, lembrarei com muita satisfação de uma conversa breve que tive com um franqueado em uma convenção. Já era mais de meia-noite, a banda continuava tocando no salão principal, e eu e minha esposa estávamos nos dirigindo para o quarto quando fomos interrompidos por um jovem franqueado. Ele disse assim: "Hoje me considero uma pessoa super-realizada e gostaria de agradecer a vocês por isso, porque este ano completei 30 anos, minha filhinha nasceu, comprei minha casa, paguei pela casa mais de um milhão de reais, à vista, e o carro que está na garagem é uma BMW". Naquele momento, ficamos emocionados com seu sucesso, abraçamo-nos e comemoramos juntos as vitórias daquele jovem empreendedor.

Recentemente, fiquei muito honrado com outro exemplo de empreendedorismo. Um dos franqueados do Grupo Multi entrou para o livro Guiness dos recordes como o mais jovem empreendedor do Brasil. Ele atingiu seu primeiro milhão de reais antes de completar 21 anos e, desde então, ele já foi entrevistado por vários jornais, revistas e emissoras de TV para compartilhar sua fantástica história de superação.

Quando ajudamos os outros a obter o que eles querem, eles nos ajudam a obter o que nós mais queremos.

Seja sempre um vendedor

A história do vendedor também revela um aspecto que considero fundamental: não importa sua formação ou profissão, não importa se você é professor, programador, contador, vendedor, ator ou profissional liberal. Você jamais será um milionário se não for um vendedor.

Descobri na prática que profissionais bem-sucedidos concentram-se em executar tarefas específicas, mas milionários concentram-se em vender. Você provavelmente está pensando, como o jovem da história, "Mas eu não sou um vendedor" ou "Eu não sei vender nada" ou ainda "Eu nunca vendi nada!". Porém, eu digo que se você realmente deseja ser um milionário, precisará desenvolver essa qualificação, assim como aquele jovem desenvolveu, para vender sempre: seu nome, sua imagem, seus talentos, suas competências, sua experiência, suas habilidades, seus dons e os resultados que você consegue entregar como profissional.

Você pode ser o melhor profissional ou a pessoa mais talentosa que há; se for incapaz de vender seus serviços ou produtos, o mundo jamais se beneficiará deles e você não será recompensado por isso, e, consequentemente, nunca conseguirá obter seu primeiro milhão. Tome nota disso: milionários adoram vender.

Para despertar o milionário que há em você, lembre-se:

- Transforme seu sonho em sonho coletivo.
- Ajude outras pessoas a alcançar o sucesso.
- Forme um time de talentos profissionais.
- Milionários adoram vender.

Mentalize:

- Eu acredito nas pessoas.
- Eu invisto em formar minha equipe.
- Eu qualifico minha equipe.
- Eu delego tarefas e responsabilidades.
- Eu acompanho minha equipe.
- Eu comemoro com a equipe os resultados alcançados.

Capítulo 9

Chave de ouro 6
Guarde cada tostão para juntar seu milhão

Guardar é mais importante que ganhar

Existe um elo que une desejo e prosperidade financeira, e eu vou contar a você qual é. Se você quiser prosperar de verdade, precisará aprender a guardar, a acumular e a multiplicar todo e qualquer dinheiro que recebe e que receberá daqui para a frente.

Quero dizer que você deve começar a pensar que parte de sua renda não lhe pertence. Parte do que você ganha pertence à formação de seu patrimônio e de sua fortuna pessoal. Saiba que se você não se ocupar em formar seu patrimônio e sua riqueza, ninguém fará isso por você.

Se perguntarmos a cem pessoas na rua se elas economizam, guardam, poupam parte de seu salário todos os meses, posso garantir que das cem pessoas apenas duas ou três responderão "sim". Eis a razão por que há tanta pobreza no mundo e são tão poucos os que conseguem abandonar a pobreza e passar para a riqueza.

"Mas eu ganho tão pouco, como vou fazer para economizar?", é a pergunta mais comum. Tenho certeza de que todos nós conhecemos pessoas que ganham um salário mínimo e chegam ao final do mês com algum dinheiro no bolso. Por outro lado, também conhecemos pessoas que ganham dez salários mínimos por mês e quando chega o final do mês estão com a conta no negativo, com o cheque especial estourado, com o cartão de crédito vencido, e já terão emprestado um dinheirinho do sogro ou do cunhado, ou até já terão penhorado suas joias na Caixa Econômica Federal, ou recorrido a pegar dinheiro emprestado com agiotas.

Isso acontece porque essas pessoas ainda não aprenderam a fazer um orçamento, um planejamento financeiro, não aprenderam a diferenciar necessidades de desejos, e também não possuem nenhuma metodologia para lidar com o próprio dinheiro.

Sem a prática desses conceitos vitais para a geração de prosperidade, ficam reféns da própria inabilidade financeira e assim são facilmente dominadas por seus impulsos consumistas. Elas podem até ganhar muito dinheiro, mas sem estar programadas para administrá-lo acabam ficando sem nada, e por isso nunca enriquecem.

Portanto, se você deseja se tornar um milionário, concentre-se em ganhar, conservar e multiplicar seu dinheiro. Se preferir continuar pobre, gaste tudo o que recebe.

Como multiplicar sua riqueza

Se, porventura, alguma vez você já se sentiu deprimido, frustrado ou derrotado com sua incapacidade de administrar seu dinheiro, não se desespere. Eu também passei pela experiência de me sentir um completo analfabeto na área financeira. Descobri que há uma grande diferença entre saber ganhar e ter a competência de conservar e acumular riquezas.

Tive de aprender essa lição a duras penas e precisei mudar meus antigos hábitos e conceitos para lidar com minhas finanças até poder atingir um estado de prosperidade sem limites. Se eu consegui dar uma virada em minha condição financeira, você também pode alcançar esse resultado seguindo a mesma fórmula que segui. Vou contar como isso aconteceu.

Quando a rede Wizard completou dez anos de existência, já contávamos com 200 escolas em todo o Brasil. Então, resolvemos fazer uma convenção em Orlando, na Flórida, para comemorar aquele momento em alto estilo. Elaboramos uma programação intensa, com atividades, passeios, jantares, premiações, *workshops* e palestras. Enfim, foi um evento inesquecível.

Certa noite, afastado da multidão e do *glamour* daquele evento maravilhoso, sentado na solidão de meu quarto, minha esposa Vânia interrompeu minha comemoração particular com a seguinte indagação: "Não sei por que você está tão feliz, tão entusiasmado e tão empolgado". Eu lhe respondi: "Meu amor, temos muitos motivos para comemorar. Afinal, há dez anos eu estava desempregado, não sabia o que faria no futuro, não tinha perspectivas profissionais. Agora temos uma ótima escola com milhares de alunos em todo o Brasil, geramos milhares de empregos e contribuímos para a educação de nosso país".

Então ela me desafiou com esta pergunta: "Você sabe quanto temos em nossa conta bancária?". "Sinceramente, eu não sei", respondi. Naquele momento ela acabou com minha festa com esta resposta: "Saiba que após dez anos de empenho, dedicação, sacrifícios e de muito trabalho, tudo o que conseguimos acumular em nossa conta bancária são 3 mil reais".

A partir daquele momento, aquele número não saía mais de minha cabeça: 3 mil reais! Eu pensava a todo instante: "Três mil reais após dez anos de trabalho. Todo o trabalho de dez anos para finalmente ter conseguido 3 mil reais. Será que alguém é bem-sucedido financeiramente com 3 mil reais?".

Alguns meses mais tarde, li um artigo em uma revista de bordo, que mudaria para sempre minha condição financeira. Ele tratava de diferentes modelos de gestão financeira em uma empresa. O autor explicava que geralmente as grandes empresas fazem, no segundo semestre de cada ano, um longo exercício de preparação do orçamento para o ano seguinte. Após muitas reuniões, negociações e ajustes, o orçamento finalmente é aprovado pela diretoria, pela presidência, pelo conselho administrativo e pelos acionistas. Dessa forma, todos os executivos, gestores e suas equipes começam o ano-novo comprometidos com o eterno processo e o malabarismo para ficar dentro do orçamento previsto. Após doze meses, os resultados financeiros são apresentados, avaliados, festejados por alguns e lamentados por outros.

De acordo com o autor do artigo, aquele modelo se aplicava muito bem a grandes corporações, a conglomerados internacionais com capital aberto e com seus balanços publicados. No entanto, o artigo apresentava um novo conceito, revolucionário e desafiador na forma de administrar as finanças de pequenas e médias empresas. O conceito é tão simples que se resume a três palavras: poupar na origem.

No momento em que li essas palavras parecia que as letras saltavam da página e que elas foram escritas diretamente para mim. Naquele instante deu um "clique" em minha cabeça e despertei para uma nova realidade, pois eu havia trabalhado por dez anos e tudo que havia conseguido acumular eram 3 mil reais. Aquela leitura fez com que eu mudasse toda a minha maneira de lidar com minhas finanças.

Poupar na origem

O conceito de poupar na origem se aplica tanto a quem tem o próprio negócio quanto a quem tem salário ou outras formas de rendimento. Esse modo de administrar suas finanças consiste em você predeterminar, predefinir, prefixar com antecedência qual margem de lucro deseja obter de seu negócio ou de sua renda.

Por exemplo, se você definir que deseja 20% de lucro, ao receber cada parcela de seu salário ou a cada vez que um novo recurso passar por suas mãos, você vai imediatamente separar 20% de sua renda para uma conta destinada à formação de seu patrimônio.

No entanto, você deve estar querendo me perguntar: "Mas, se eu retirar 20% de meus ganhos, como farei para passar o mês? Como pagarei as contas? Como ficarão minhas despesas?".

Novamente, o conceito é revolucionário. Você separa o que vai poupar e vive com o resto, não importa qual seja seu salário ou receita. Você literalmente ignora 20% de seus ganhos e sobrevive com 80%.

Quando entendi esse conceito, percebi que se eu mantivesse o mesmo padrão de gastar tudo o que recebia, não importava quanto minha renda aumentasse, mais dez anos se passariam e eu talvez continuasse com meus 3 mil reais.

Se eu quisesse realmente mudar minha condição financeira, eu precisaria mudar radicalmente minha forma de lidar com o dinheiro. E foi o que eu fiz, tanto pessoalmente quanto nas minhas empresas.

Graças ao alerta severo de minha esposa naquela noite em Orlando, e da decisão, disciplina e persistência na aplicação do conceito de "poupar na origem", ao longo anos subsequentes a Wizard saiu da realidade de 200 escolas para se transformar em um dos maiores grupos educacionais e empresariais do Brasil.

Jamais teríamos chegado aos patamares de realizações que chegamos se não fosse por esse valioso princípio. E certamente até hoje, a cada nova receita que recebemos, separamos a porcentagem reservada para a conta de formação do patrimônio.

Neste exato momento, sugiro que você interrompa sua leitura e faça um exercício mental. Analise sua situação financeira atual, seja sua renda proveniente de seu salário, de seu negócio ou de outras fontes. Se sua intenção é despertar o milionário que há em você, defina exatamente qual será a porcentagem destinada à formação de sua conta milionária.

Defina hoje mesmo quanto você poupará cada vez que um novo dinheiro passar por suas mãos, não importando quanto você ganha ou quanto tempo levará para sua fortuna ser acumulada. Mais importante que o valor ou o tempo que levará será seu compromisso com a aplicação desse valioso princípio, pois, com ele, seu patrimônio inevitavelmente aumentará.

Para ficar rico não basta poupar, você precisará também aumentar sua capacidade de gerar nova renda. Contudo, ao utilizar esse método continuamente, você passará a acumular desde já a grande riqueza que fará parte de sua vida daqui em diante.

Riquezas sem limites

Sabe-se que 1% da população do planeta ganha 96% de toda a renda produzida na Terra. Será que isso ocorre por sorte, por acaso, por acidente ou por alguma estratégia financeira? A resposta é simples: as pessoas dotadas de espírito milionário aprenderam a aplicar os princípios de como transformar seus rendimentos em fortunas.

Para acumular 1 milhão de reais, você precisa primeiro acumular 100 mil reais. Para acumular 100 mil reais, você precisa primeiro acumular 10 mil reais. Para acumular 10 mil reais você precisa primeiro acumular 1.000 reais.

Se você não seguir esse modelo, jamais será um milionário! Todos os que venceram e fizeram fortuna submeteram-se a uma metodologia financeira, aplicada com um alto grau de disciplina e de autocontrole. Eles aprenderam que mais importante que se matar de trabalhar é criar uma condição em que o dinheiro trabalhe por você. Descobriram também que nunca é tarde demais para começar a aplicar essas regras em seu dia a dia.

Atente para as palavras do antropólogo George O'Neil sobre o processo de mudança pessoal:

> Mudar nunca é tão simples. O que realmente está implícito não é a liberação do eu autêntico, mas a formação de um novo eu, um eu que transcenda gradualmente as limitações e a pequenez do antigo. Isso só pode ser feito procedendo-se de modo diferente ao interagir com outras pessoas. Novas estratégias terão de ser desenvolvidas, expressando as novas intenções e encorajando os outros a tomar parte recíproca em relações humanas melhores.

Acredite em sua capacidade de transformação pessoal e financeira. Saiba que nas profundezas de seu ser há um potencial ilimitado de realizações. Você tem em seu interior o poder divino de ser, fazer e ter qualquer coisa que deseja.

Para despertar o milionário que há em você, lembre-se:

- Defina a porcentagem que você vai separar ao receber qualquer dinheiro que chegue às suas mãos.

- Desconsidere o valor total de sua renda e viva apenas com o que não será destinado a formar seu patrimônio futuro.

- Antes de receber sua remuneração, faça um orçamento detalhado definindo o destino de seus recursos.

Mentalize:

- Eu formo minha riqueza pessoal.

- Eu formo meu patrimônio pessoal.

- Eu tenho uma conta milionária.

- Minha conta milionária aumenta a cada dia.

Capítulo 10

Chave de ouro 7
Acredite em sua origem divina

Toda pessoa bem-sucedida carrega dentro de si o sentimento de estar cumprindo uma missão, pois qualquer vitória perde seu valor se não a utilizarmos para fins ainda maiores. É difícil alguém se sentir totalmente realizado sem experimentar a sensação de estar ligado, de alguma forma, aos propósitos mais elevados da vida. Assim, todo aquele que desejar sentir o aroma pleno do sucesso precisará sentir-se em harmonia com o Criador.

Um canal de comunicação com o divino

Desde jovem, aprendi por experiência própria, que, quando uma pessoa estabelece um canal de comunicação com sua origem divina, ela adquire mais força para perseverar na busca de seus sonhos. Ela consegue identificar mais facilmente seus dons, seus talentos e suas habilidades, aumenta seu autodomínio e consegue concentrar-se em suas potencialidades e prioridades. Aprende também a lidar com as oposições do dia a dia de forma positiva, pois encara tudo como um processo de aprendizagem e amadurecimento, e não como uma limitação permanente.

Minha formação espiritual foi dada pelos meus pais. Quando eu tinha 12 anos, eles buscavam respostas para as perguntas da alma: Qual é a origem da humanidade? Qual é o propósito da vida? Para aonde vamos após a morte? Como conciliar a vida profissional e familiar? Como manter a família unida? Naquele momento de reflexão, com sete filhos pequenos para criar, conheceram a Igreja de Jesus Cristo dos Santos dos Últimos Dias, cujos ensinamentos cristãos lhes indicaram um caminho seguro rumo à realização pessoal, temporal e espiritual, e passaram esses conceitos para a família.

James E. Faust escreveu palavras inspiradas em seu livro *Como encontrar a luz em um mundo tenebroso* que mostram a importância da dimensão espiritual para todos:

> A paz espiritual não se encontra na raça, na cultura ou na nacionalidade, mas em nosso compromisso com Deus. Cada um de nós, independentemente de sua nacionalidade, precisa mergulhar nos mais íntimos recônditos da alma para encontrar a natureza divina que está profundamente arraigada em nós e rogar sinceramente ao Senhor que nos dote de sabedoria e inspiração. Somente quando alcançarmos no fundo de nosso ser, descobriremos nossa real identidade, nosso mérito próprio e nosso propósito na vida. Somente quando procurarmos nos livrar do egoísmo e da preocupação com recompensas e riquezas, encontraremos o doce alívio de ansiedades, feridas, dores, sofrimentos e inquietações deste mundo. Deus não apenas nos ajudará a encontrar alegria e satisfação sublime e eterna, como também nos modificará.

Acreditar em nossa origem divina nos sustém e nos inspira. Em nosso cotidiano, ela se manifesta em nossos sentimentos, nossas impressões, nossa intuição, nossa inspiração e em uma voz interior. Alguma vez você já ouviu esses sussurros que vêm do fundo da alma? Certamente sim.

Ao tentar ouvir essa voz interior, cada vez ela fica mais perceptível aos seus sentidos. De repente, ela começa a falar com você com mais frequência, e você começa a confiar cada vez mais nela. Não se trata de tão somente alimentar seu ego, mas de descobrir quem você é, quem você poderá vir a ser e como você pode abençoar mais imensamente sua vida e a vida daqueles que estão ao seu redor.

Gosto muito do pensamento de Ella Wheeler Wilcox sobre a posição da alma humana diante dos mares da vida. Observe esta bela comparação:

Um barco navega para o leste
e o outro para o oeste.
Ambos são levados pelo mesmo vento.
É a posição das velas,
e não a ventania
que nos dá o rumo.
Como os ventos no mar, assim é o destino;
e quando viajamos pela vida,
é a posição da alma
que decide que rumo,
não a calmaria, nem a rivalidade.

A força do vento é poderosa, porém, o mesmo vento pode transportar um barco à direita ou à esquerda. A direção do barco não é determinada pelo vento, e sim pelo posicionamento da vela. O mesmo se dá com a direção de sua alma e seu destino. Ao posicionar sua vida em uma dimensão espiritual, geralmente ignorada, você passará a sentir profunda paz interior que preencherá o vazio da alma e lhe apontará para um destino mais seguro e promissor.

Desenvolva sua dimensão espiritual

Gostaria de sugerir-lhe uma experiência que lhe auxiliará em seu contato com sua espiritualidade. É um gesto pessoal que exigirá atitude de humildade, mansidão e reverência de sua parte.

Essa experiência consiste no seguinte: reserve para si mesmo um tempo de meditação e reflexão. Escolha local, dia e horário em que você esteja livre de interrupções ou interferências. Se possível, fique em contato com a natureza, diante da beleza das montanhas, do campo ou do mar. Você saberá escolher o lugar mais apropriado.

Quando estiver nesse local reservado, comece a conversar, em espírito de agradecimento, com o Criador. Você poderá começar agradecendo pela criação do mundo, pelo calor do Sol, pela beleza da Lua e das estrelas, pelo ar que você respira, por sua concepção, por sua gestação, por seu nascimento.

Agradeça por seu corpo, seus órgãos, seus membros, sua mente, sua inteligência. Agradeça por seus primeiros dias de vida, por sua mãe, por seu pai (mesmo que ele seja desconhecido), por sua infância, por seus familiares, por seus primeiros anos de vida, pelo primeiro dia de aula, por seus professores, por seus vizinhos, por seus amigos da infância e da juventude.

Quanto mais completo e mais detalhado for o seu agradecimento, mais efeito terá. Continue com seu espírito de gratidão passando por todas as fases de sua vida até chegar ao dia presente. Não tenha pressa. Talvez você opte por escrever seus sentimentos nesse momento. Siga as impressões de seu coração, pois o importante é você reconhecer a mão de Deus em cada fase de sua existência.

Com essa atitude constante no coração, você desenvolverá cada vez mais sua espiritualidade. Você criará uma conexão ou ligação espiritual com o Criador e, com o espírito cheio de gratidão, estará mais preparado para ser guiado por Deus rumo à realização de seus desejos mais sinceros.

Que alegria saber que você pode manter um elo com o próprio Criador, um ser celestial, onipotente, onisciente, fonte de toda luz, inteligência, sabedoria e amor! Por ser filho de Deus, esse universo lhe pertence como legítima herança. O mais importante é que você também é herdeiro das características, dos atributos e dos dons divinos.

Tenha certeza de que você não está sozinho. Deus, como um Pai amoroso, está sempre à sua disposição. Tente falar com um mortal e você terá a maior dificuldade em marcar um horário, agendar uma data, e ainda terá de telefonar com antecedência para confirmar o encontro. Deus, todo-poderoso, coloca-se humildemente ao seu dispor a qualquer hora do dia ou da noite, e você pode alcançá-lo onde estiver: em casa, no trabalho, na escola, no campo, nas ruas, em momentos de alegria ou de dor.

Observe o pensamento inspirador de Keith DeGreen a respeito das bênçãos temporais: "Na medida em que o dinheiro é a qualidade dos serviços que prestamos aos outros, acumulá-lo é nobre. Na medida em que utilizamos nosso dinheiro a serviço dos que amamos, suprindo-os com todo o calor, conforto e segurança possíveis, o dispêndio é compensador e divino".

Seria na verdade uma incoerência pensar que Deus, sendo Pai de amor, Criador de todas as riquezas, de todas as fortunas, todo minério, minas incontáveis de diamantes, prata e ouro, impedisse seus filhos de usufruir de sua criação. Por isso, agradeça a Deus pela riqueza existente ao seu redor e à sua disposição.

Toda essa riqueza é sua. Ela lhe pertence.

É preciso, porém, que você, como legítimo herdeiro, reivindique essas bênçãos das mãos daquele que as criou. Lembre-se dessas palavras: "Tudo o que pedires ao Pai com fé, acreditando que recebereis, ser-lhe-á concedido". Essa passagem inclui talentos, habilidades, dons, amor, casamento, filhos, terrenos, casas, apartamentos, automóveis, empresas, indústrias, ou seja, tudo o que seu coração desejar.

Uma corrente divina

Gostaria de compartilhar um sentimento pessoal. Sei que Deus faz parte de nossa vida, Ele nos inspira, consola, ilumina, guia, perdoa, fortalece, prepara e qualifica. Quando penso no sucesso que alcancei em minha trajetória profissional, tenho a sensação descrita pelo apóstolo Paulo: "Eu plantei, Apolo regou, porém foi Deus que proveu o crescimento". Sinto a mão protetora de Deus me auxiliando a vencer cada etapa de minha ascensão empresarial.

Gosto muito do que o doutor Marcus Bach afirma sobre o poder divino em nossa vida:

> Há uma espécie de corrente divina pronta para nos levar por entre certas fases da vida, e quanto mais a percebemos e a ela nos entregarmos, em melhor situação estaremos. Somente se beneficiará, porém, dessa força divina aquele que tiver

a coragem de acreditar nela, a audácia de esperar por ela, a sabedoria de entendê-la e a prudência de estar de acordo com ela.

Não tenho dúvidas de que meu empreendimento educacional nasceu sob a influência da inspiração divina. Possuo profundo sentimento de gratidão a Deus por essa preciosa dádiva que ele me confiou. Tenho consciência da responsabilidade profissional, social e moral que repousa em mim, e saber que não estou sozinho nesse majestoso empreendimento me transmite muita segurança, serenidade e confiança para levar avante os sonhos que um dia criei.

Para despertar o milionário que há em você, lembre-se:

- Ouça sua voz interior.

- Cultive seu espírito de gratidão.

- Reconheça a mão de Deus em todas as etapas de sua vida.

Mentalize:

- Eu sou filho de Deus

- Eu possuo dons e atributos divinos.

- Minha vida tem direção e propósito.

- Eu posso contar com apoio espiritual incondicional a qualquer momento.

Capítulo 11

Chegou a hora da mudança

S e você ainda não se conscientizou, escreva para se lembrar: mudança é a única constante da vida. O universo está em constante mutação. O mundo ao nosso redor está constantemente redesenhando-se, descobrindo-se e inovando-se. Quanto maior for sua capacidade de se adaptar a essas mudanças, maior será sua possibilidade de triunfo.

Mudar é preciso

As pessoas resistem muito às mudanças, pois se habituam a fazer as mesmas coisas dia após dia, como se fossem programadas como robôs para agir de determinada maneira. Elas acabam contentando-se com resultados inferiores, esquecem-se de que podem mais. Há uma história que ilustra isso muito bem:

Havia um jovem que passava seus dias percorrendo as margens de um rio à procura de pedras preciosas. Ele era incansável na busca de pedras de grande valor. Muitas vezes, ele caminhava por dias, semanas e meses e somente encontrava pedras comuns. Quando encontrava uma pedra preciosa, colocava-a na sacola. As pedras sem valor eram jogadas de volta ao rio. Ocorre que, depois de tanto tempo condicionado a jogar pedras comuns de volta ao rio, às vezes ele encontrava uma pedra preciosa e, pela força do hábito, sem perceber acabava jogando a pedra preciosa de volta à água.

Condicionado a antigos paradigmas ou padrões mentais, até hoje você deixava passar chances e oportunidades. Contudo, chegou a hora da mudança! Daqui para a frente, comprometa-se a seguir avante, superar seus limites e continuar crescendo sempre mais!

Geralmente, as pessoas não mudam quando se sentem bem, mas quando estão abatidas, deprimidas ou frustradas. Quando atingimos o ponto do inconformismo insuportável, a tendência é fazer muito mais do que estamos fazendo. O sofrimento nos impele àqueles momentos de grandes decisões, afinal, estamos sofrendo. Então, finalmente, tomamos uma atitude e alteramos o curso que estamos seguindo. Ralph Waldo Emerson, renomado filósofo americano, declarou:

> Nossa energia origina-se de nossa fraqueza. Só depois de sermos aferroados, picados e dolorosamente atingidos, desperta-nos a indignação armada com forças secretas. Um grande homem está sempre desejando ser pequeno. Enquanto está acomodado no conforto das vantagens, ele dorme. Quando é pressionado, atormentado ou derrotado, tem a oportunidade de aprender alguma coisa. Adquire sagacidade e maturidade. Ganhou fatos,

aprendeu sobre sua ignorância, está curado da insanidade da presunção. Adquiriu moderação e habilidade verdadeira.

Tenho certeza de que você não quer uma vida de sofrimento e privação. Por isso, está no ponto ideal para modificar o que é preciso para viver a vida que você sempre quis.

O caos faz parte da mudança

Quando conscientemente você inicia um processo de mudança, saiba que está cuidando da alma. No princípio, você terá a sensação de incerteza, insegurança, instabilidade, pois toda mudança gera um estágio de caos, seja ele físico ou emocional.

Pense na última vez que você resolveu fazer uma pequena reforma em sua casa. Talvez a intenção fosse apenas mudar o visual da cozinha, mas de repente mudou-se a pia, que não combinou mais com as torneiras, com os armários, com o piso e, finalmente, foi preciso mudar o fogão e até a geladeira.

Muitas vezes, um processo de mudança acaba gerando outras mudanças não concebidas no início. Por isso, a maioria dos projetos acaba levando o dobro do tempo que imaginamos e, consequentemente, acaba custando o dobro também.

Imagine aquela obra do metrô que beneficiará a população e facilitará o transporte público, deixando-o mais rápido, mais barato e mais seguro. Antes que os benefícios possam ser usufruídos, haverá escavações, deslocamentos de terra, demolição de propriedades em seu curso, árvores, parques e jardins serão sacrificados, sem contar o risco potencial de acidentes e o verdadeiro caos em que se tornará o período durante as obras.

Pense na mulher que deseja um filho. Imagine toda a expectativa, a ansiedade e a preparação e o sentimento de logo poder abraçar seu filhinho. De repente, a gestação traz insônia, desconforto, dores e complicações inesperadas, ela passará por vários testes até o abençoado dia do nascimento do filho.

Talvez seja por isso que resistimos tanto às mudanças. Tememos o que nos advirá quando comparamos o antes, o durante e o depois. Outra razão para resistirmos às mudanças é fato de estarmos em constante processo de recondicionamento mental. Parece existir uma força, semelhante à força da gravidade, que nos prende a antigos modelos mentais. Há uma história que descreve muito bem essa característica da natureza humana.

> Era uma vez uma jovem recém-casada que queria agradar seu marido, que gostava de bife acebolado. Todas as manhãs, ela ia ao açougue, comprava um bife, depois voltava para casa, partia o bife ao meio, fritava uma metade, fritava a outra metade e servia as duas metades ao marido.
>
> Ela fez isso por três meses. Sem querer magoar a esposa, um dia o rapaz disse: "Meu bem, você é uma ótima cozinheira e uma esposa maravilhosa. Eu só queria saber por que toda manhã você vai ao açougue, compra um bife, volta para casa, corta o bife ao meio, frita uma metade, frita a outra e depois coloca as duas metades no prato?".
>
> A resposta da jovem foi: "Eu aprendi com minha mãe".
>
> Um belo dia, aparece em sua casa a sogra. O jovem marido aproveita a presença da senhora e inicia uma conversa: "Sogra querida, sua filha é maravilhosa e cozinha muito bem, mas há uma coisa que ela faz e eu não compreendo". Contou a cena à sogra e pediu uma explicação. A sogra respondeu: "Foi minha mãe que me ensinou assim".

Então, um belo dia, aparece na casa a vovozinha. O jovem não resistiu e perguntou: "Vovó querida, a senhora tem uma neta maravilhosa que cozinha muito bem, mas há uma coisa que ela faz e eu não compreendo". E contou a história à vovó e pediu-lhe uma explicação.

"Mas há uma explicação, meu neto", disse a senhora. "Muito tempo atrás, quando eu me casei, eu ganhei apenas uma frigideira de presente de casamento, e era muito pequena. Por isso eu tinha de partir o bife ao meio para fritá-lo!".

Essa história retrata bem a realidade de muitas pessoas que ficam presas a antigos hábitos, costumes e comportamentos, sem se dar conta de como eles se originaram e se perpetuaram; acabam se condicionando a modelos mentais antigos e têm dificuldades em adaptar-se a novas realidades.

Peter Drucker, autor guru da administração, afirma:

De décadas em décadas, a sociedade se reorganiza: suas visões básicas, sua estrutura social e política, as artes, suas instituições-chave. A cada cinquenta anos, *há um mundo novo*. E as pessoas que nascem nessa época não podem nem mesmo imaginar o mundo em que seus avós viveram e onde seus pais nasceram.

Quantas pessoas você conhece que fizeram apenas o Ensino Médio e nunca iniciaram a faculdade? Elas pensam que conseguirão vencer profissionalmente somente com um nível escolar secundário. Sentem-se justificadas, porque seus pais tiveram poucos anos de estudo.

Quantos profissionais você conhece que não conseguem usar um computador produtivamente? Muitos são competentes, mas confiam mais na própria memória do que na memória do computador. Quantas pessoas você conhece que, mesmo tendo condições, não são usuárias da internet? Elas têm receio da novidade tecnológica. Sentem-se intimidadas e vulneráveis diante de uma ferramenta tão poderosa. Pensam que Facebook, Skype, iPod, iPad, enfim iTudo, e tantos outros são conceitos que nunca vão dominar.

Há outras barreiras ocultas, ainda mais sensíveis e profundas, instaladas no interior de algumas pessoas, que precisam ser vencidas.

Mude com consistência

Há pessoas que dizem: "Tenho de dar uma guinada de 180 graus em minha vida". Parabéns! O objetivo, a intenção e o propósito estão corretos. Não espere, porém, que, de repente, da noite para o dia, você se transformará no novo indivíduo que espera ser.

A consciência da necessidade da mudança brota em nosso íntimo lentamente. Pouco a pouco, nós nos sentimos tomados por uma insatisfação, às vezes, sem uma razão específica. Contudo, no íntimo sabemos que algo precisa mudar. Depois surge um inconformismo profundo com a situação existente, que nos impulsiona à ação.

Observe as palavras de Napoleon Hill, especialista nas técnicas para alcançar o sucesso:

> Um desejo ardente de ser e de fazer é o ponto de partida para o sonhador. Sonhos não nascem da indiferença, da preguiça ou da falta de ambição. Lembre-se de que quase todos que venceram na vida tiveram de passar primeiro por reveses e depois por provações suficientes para desanimá-los antes

de conseguirem seu objetivo. Os momentos de decisão na vida dos que vencem costumam ocorrer no auge de uma crise, durante a qual se veem frente a frente com o outro lado de sua personalidade.

Mesmo conscientes, dispostos, determinados e comprometidos com a mudança, a modificação não é imediata. Temos uma tendência natural pelo imediatismo, queremos tudo para hoje, aqui e agora. No entanto, toda mudança significativa e duradoura exige tempo, paciência, disciplina e vigilância, até se consolidar.

Tenha a humildade de começar de onde você está e não sofra pensando onde você deveria estar. Francisco de Assis já ensinava: "Comece fazendo o necessário, depois o possível. E, de repente, estará fazendo o impossível."

Os velhos hábitos estão enraizados há anos nas profundezas do seu ser. Eles tiveram um poder muito forte em seu condicionamento mental. Por isso, às vezes involuntariamente, você se verá praticando os mesmos desvios, "vícios" e padrões mentais que praticou por tanto tempo. Não se deixe abater. A solução consiste em quebrar as velhas formas de pensar e abandonar antigos paradigmas.

Erros e acertos fazem parte do processo de aprendizagem e transformação. Lembre-se de que mais importante do que a velocidade é saber que você está no caminho certo.

Seu processo de transformação pessoal é comparável à experiência de subir uma escada encostada em um muro. Você precisa subir degrau por degrau; por mais bem-intencionado que esteja, não pode subir toda uma escada de uma única vez, a não ser pisando em um degrau de cada vez.

Cada degrau representa um avanço, uma nova conquista, uma nova plataforma que serve de apoio para o próximo passo. Se tentarmos pular um degrau, um acidente pode acontecer, podemos nos ferir, retardar ou interromper o processo de crescimento.

Outra tendência comum é pensar que algo externo precisa acontecer para possibilitar uma mudança interior. Certa vez, um colega bastante angustiado e aflito me procurou. Ele havia feito algumas escolhas erradas e, consequentemente, enfrentava uma série de dificuldades pessoais, financeiras e familiares. Enquanto conversávamos, várias vezes ele repetiu: "Alguma coisa tem de acontecer em minha vida, alguma coisa tem de acontecer em minha vida".

Senti que ele falava isso como se não tivesse nada a ver com a situação adversa que enfrentava, era como se ele fosse vítima de atos alheios, como se fosse involuntariamente destinado a sofrer, talvez por causa de alguma força misteriosa e oculta. Na verdade, faltava-lhe a humildade, a sensibilidade e a sabedoria para entender que o problema que ele sofria era autoimposto. Ele mesmo havia atraído e, consequentemente, criado a situação adversa que enfrentava.

Você já se sentiu como esse indivíduo? Alguma vez você ficou esperando algo externo acontecer para lhe causar uma mudança interior? Talvez sim. Entretanto, se qualquer mudança ocorrer, esse processo de transformação começará em seu íntimo, passará por seu coração, chegará ao pensamento e se manifestará em suas palavras e ações.

Não podemos culpar ninguém por nossa situação atual. Se a culpa não está nos outros, então será que não há algo de errado em mim, em minha forma de pensar, raciocinar, sentir, agir e reagir aos eventos de cada dia?

Pondere e responda:

- O que estou adiando fazer e que se fizesse resultaria em enorme diferença em minha vida?
- O que me impede de começar a agir imediatamente?

Talvez, se forem respondidas com sinceridade, essas perguntas tornem-se a maior contribuição que você pode dar a si mesmo rumo à sua felicidade e ao seu bem-estar pessoal. Parabéns! O simples fato de você estar lendo este livro demonstra sua alta sensibilidade, inteligência e iniciativa de fazer qualquer mudança necessária para despertar o milionário que há em você.

Para despertar o milionário que há em você, lembre-se:

- Identifique o que você está adiando fazer e que se fizesse resultaria em enorme diferença em sua vida.

- Analise o que o impede de começar a fazer essas coisas imediatamente.

- Decida fazer essas mudanças, custe o que custar.

Mentalize:

- Sou um eterno aprendiz.

- Estou em um eterno processo de transformação.

- Erros e acertos fazem parte de meu progresso.

- Quanto maior for minha capacidade de mudança e adaptação, maior será meu triunfo.

Capítulo 12

Prospere rumo ao sucesso

Pense por um momento: quem tem o maior talento ou as maiores chances de vencer na vida, o construtor de navios ou o timoneiro? Um economista ou um jardineiro? O dançarino ou o sapateiro que costura a sapatilha? O camponês que ara, planta e nutre a safra ou aquele que a colhe?

Quem tem a habilidade de maior valor: o pastor, o tosquiador ou o tecelão? O violinista ou aquele que faz o violino? O que extrai a pedra da montanha ou o escultor?

Antes de responder, leia os relatos a seguir. Eles poderiam muito bem conter seu nome. São histórias verídicas, que não aconteceram na China ou no Velho Oeste americano, mas aqui mesmo, em solo brasileiro.

Um jardineiro empreendedor

Após a cerimônia do casamento e a viagem de lua de mel, Norberto e Rosângela estavam em casa conversando sobre seu futuro. Eles estavam muito felizes porque se amavam muito, porém ambos tinham apenas uma preocupação: Norberto estava endividado e desempregado.

"E agora, o que fazer?", eles ponderaram.

Nos dias seguintes, Norberto afirma ter atravessado um período de profunda introspecção e meditação, após o qual sentiu um impulso, uma inspiração, como se uma voz interior lhe dissesse: "Você pode ser jardineiro". Ele fez de conta que nem ouviu esse sussurro. Em seu íntimo, ele pensava: "Sempre quis ser um executivo, trabalhar em escritório com ar-condicionado, vestir camisa branca e gravata. Ser jardineiro? Nem pensar. Trabalhar debaixo do sol, debaixo da chuva, ficar com as roupas e as mãos sujas de terra. O que minha esposa pensará? O que ela dirá?".

Contudo, aquela vozinha interior continuava a lhe dizer: Você pode ser um jardineiro. E, como ele estava desempregado e precisava sustentar a família, resolveu acreditar em sua intuição e se aventurar como jardineiro. Concluiu que só precisaria de uma tesoura e poucas ferramentas para começar a trabalhar.

Mesmo sem experiência, treinamento ou qualificação, e imbuído somente do espírito milionário, ele começou a limpar os primeiros jardins. Em menos de noventa dias sua agenda estava lotada de clientes. Passados mais alguns meses, ele já estava recusando serviço de pessoas, que agora vinham bater à sua porta. Nesse momento, Norberto afirma ter tido uma segunda inspiração: "Posso continuar trabalhando sozinho ou posso dividir esse mercado com ajudantes, auxiliares e assistentes".

Resolveu, então, contratar alguns ajudantes, e logo tinha uma equipe de jardineiros trabalhando para ele. Passados mais alguns meses, Norberto percebeu que as "madames" gastavam mais dinheiro com plantas, flores, árvores, terra e adubo do que com o serviço que ele prestava. Esse foi outro momento decisivo em sua trajetória empresarial: "Abandonar os jardins, abandonar os ajudantes, somente vender produtos aos clientes? Será que posso conciliar as duas atividades?".

Naquele momento, Norberto sentiu que poderia aumentar significativamente sua renda se mantivesse os clientes e também fizesse o fornecimento de plantas. A essa altura, já faturava o suficiente para comprar uma Kombi usada, com a qual ele mesmo fazia as compras e as entregas. Depois de conversar com sua esposa e entusiasmado com o florescimento do negócio, alugou um terreno e montou uma pequena floricultura.

Rosângela cuidava do balcão, e ele se encarregava dos jardins, dos ajudantes, da clientela e agora das compras e da direção do novo negócio.

Mais tarde, já bastante convencido do sucesso de seu empreendimento e vislumbrando o horizonte verde e florido diante de si, adquiriu coragem para transferir sua atividade para o conceituado bairro do Morumbi, em São Paulo.

Norberto Carlos Lopes se tornou proprietário de uma empresa bem-sucedida de jardinagem e paisagismo na capital paulista. Ele passou a atender tanto a residências quanto empresas. Ao longo de uma carreira espinhosa, mas muito próspera, Norberto conseguiu acumular uma pequena fortuna. Com os recursos poupados construiu, alugou e vendeu várias casas.

Seu maior empreendimento foi a aquisição de uma área magnífica, onde ele construiu, com recursos próprios, um hotel-estância em Águas de São Pedro, no interior de São Paulo.

Um médico obstinado

Vejamos agora a história de Alfredo Heliton de Lemos, nascido no interior de Pernambuco. Aos 12 anos, Heliton aceitou o convite para deixar o sertão do Nordeste e ir morar com seu irmão no Rio de Janeiro.

Heliton não foi morar em Copacabana ou Ipanema; foi morar com seu irmão em uma favela, sem orientação, carinho ou amparo de pai e mãe. Em seu novo mundo, o crime, as drogas e a prostituição o cercavam por todos os lados. Heliton lembra que às vezes o que o separava de um tiroteio eram apenas as paredes do barraco onde morava.

Certa vez, um amigo que o estimava muito resolveu lhe dar um presente. O amigo pediu que ele fechasse os olhos e abrisse a mão. Quando Heliton abriu os olhos, viu em sua mão as chaves de um carro do ano recém-roubado. Seu amigo apenas lhe disse: "Este é seu. Quando puder, você me retribui".

Com muito esforço, para não magoar os sentimentos do amigo, acabou convencendo-o de que não poderia aceitar o presente. Ao ponderar sobre o meio em que vivia, o jovem Heliton leu um dia que era possível estar no mundo e não ser do mundo. Por isso, apesar de conviver em um meio rodeado pelo mal, ele obteve forças para vislumbrar uma vida melhor, voltada para a virtude.

Certa vez ele estava em um parque, em uma tarde ensolarada, observando o esforço de uma linda garça que tentava se alimentar em meio a um lamaçal. Ela se movia lentamente, para evitar que a lama manchasse suas límpidas penas brancas. Naquele dia, o jovem pobre do sertão ponderou: "Eu sou como aquela garça, que faz um grande esforço para sobreviver sem me deixar macular pela lama ao meu redor".

Resolveu, então, substituir o convívio dos colegas e da "segurança" de que desfrutava entre os chefões do morro pela experiência e pela disciplina da carreira militar. Aos 18 anos, ingressou no Exército e resolveu também revelar ao mundo seu desejo secreto de um dia se tornar médico. Afirmava com muito orgulho e convicção aos colegas: "A medicina está em mim". Fardado durante o dia, ele cumpria sua obrigação militar. À noite, ia à escola se preparar para o vestibular. Estudou por um ano, para prestar seu primeiro vestibular de Medicina, mas foi reprovado. Mesmo assim, seu desejo de tornar-se médico não diminuiu. Estudou mais um ano, prestou seu segundo vestibular e foi novamente reprovado.

Apesar das dificuldades que enfrentava nos estudos, o jovem era perseverante. Preparou-se mais um ano. Prestou seu terceiro vestibular e foi novamente reprovado. Sem se deixar abalar pelos três fracassos consecutivos e movido pelo seu profundo desejo de se tornar médico, Heliton continuou se preparando por mais um ano, para ser reprovado em sua quarta tentativa.

Nessa época, ele já passara em biologia e veterinária, mas isso não o estimulava, pois, apesar de reprovado quatro vezes, o estudante insistia em ser médico. Estudou mais um ano e foi reprovado pela quinta vez. Tentou o vestibular novamente e, quando todos seus colegas pensavam que esse nordestino não havia nascido para a medicina, Heliton foi aprovado para o curso de medicina na Universidade Federal do Rio de Janeiro. Ingressou na faculdade e continuou sua carreira militar.

Após a formatura como médico, completou a residência e especializou-se em oftalmologia. Aos 32 anos, iniciou a prática da medicina. Logo instalou seu consultório e os pacientes começaram a chegar. Eram consultas, tratamentos de miopia, catarata, estrabismo, emergências, cirurgias, transplantes...

Pacientes viajavam longas distâncias para ser atendidos e medicados por suas mãos. Logo o nome do doutor Heliton era respeitado em seu meio. Ao longo dos anos, participou de vários congressos no Brasil e no exterior. Mais tarde adquiriu o equipamento necessário e montou a própria clínica.

Os anos se passaram e o doutor Heliton, já reformado no posto de coronel do Exército, foi agraciado com uma bolsa de estudos para passar dois anos na Universidade de Utah, nos Estados Unidos, com despesas pagas para ele, para a esposa e para os cinco filhos.

A diferença não está na profissão, mas no profissional

Entre centenas de profissões existentes, não importa qual você escolha. Não existe nenhuma que seja superior ou inferior, mais nobre ou menos importante, mais lucrativa ou menos compensadora que a outra. O que existe são profissionais de qualidade superior, com visão mais ampla, pretensões maiores e sonhos mais elevados.

Para ilustrar esse conceito, pense por um instante em quantos jardineiros você conhece. Talvez centenas. Quantos jardineiros você conhece com a garra, a determinação e a sabedoria do empresário Norberto? Talvez você possa contá-los com os dedos de uma única mão. Quantos estudantes você conhece que tentaram o vestibular e foram reprovados? Talvez centenas. Quantos estudantes você conhece que tiveram a perseverança e a disciplina do doutor Heliton? Novamente, talvez você possa contá-los com os dedos de uma única mão.

A diferença está no interior de cada um, na disposição de vencer barreiras e obstáculos, superar seus limites, superar a si mesmo e na intensidade do desejo de vencer no íntimo de cada um.

Alguém pode dizer: "Mas alguns são mais inteligentes que outros!". Quando eu era criança, costumava pensar que algumas pessoas nasciam mais inteligentes, mais dotadas, mais preparadas do que outras. Isso é um engano, ninguém nasce mais inteligente do que outro. É o indivíduo que desenvolve sua inteligência ao longo da vida, com base nas decisões que toma em seu dia a dia.

Você pode ser tão inteligente como a pessoa mais inteligente que você conhece, desde que se aplique a uma disciplina de automelhoramento e exerça suas faculdades mentais para superar cada uma de suas limitações. Assim, vemos que a universidade não foi reservada apenas para filhos de pais ricos, tampouco jardineiros foram destinados a passar uma vida de privações ou carência.

Por isso, não importa sua profissão, você só alcançará o êxito pleno se estiver disposto a distinguir-se pela excelência de um trabalho superior.

Portanto, tire o maior proveito possível daquilo que você sabe e gosta de fazer. Resolva fazer de seus talentos uma grande contribuição à humanidade. Lembre-se de que as habilidades que você admira nas outras pessoas são habilidades adquiridas.

Você também poderá adquiri-las, se assim o desejar, afinal, ninguém nasce cantando, dançando, pilotando, voando, vendendo, ensinando, administrando ou tendo sucesso. Em vez disso, todos nascemos da mesma maneira: chorando, porém, à medida que crescemos, temos a oportunidade de criar nosso mundo e escolher o que desejamos ser, ter e fazer.

No entanto, a escolha é sua. Se você não decidir por si mesmo, ninguém decidirá por você. Lembre-se de que o maior privilégio que Deus lhe concedeu nesta existência foi o dom do livre-arbítrio ou a dádiva da livre escolha, ou seja, a liberdade de você fazer aquilo que bem entender de sua vida.

Transforme seus talentos em cifrões

Sua segurança profissional certamente virá de sua capacidade de transformar um talento próprio, uma habilidade pessoal ou um dom natural em uma fonte de renda. Ao conseguir transformar em moeda os talentos que Deus lhe deu, seu trabalho deixará de ser monótono, cansativo, desgastante, intolerável, insuportável. Seu trabalho passará a ser uma fonte de prazer, satisfação e realização.

Certa vez perguntaram a Thomas Alva Edison, um dos maiores inventores de todas as épocas, como ele conseguia passar tantas horas trabalhando em seu laboratório. Sua resposta serve de inspiração para todos nós. Ele disse que na realidade não trabalhava, mas passava seus dias se entretendo e divertindo. Quando se cansava de suas atividades desafiadoras e ao mesmo tempo prazerosas, voltava para casa.

Eis um dos segredos de uma pessoa bem-sucedida profissionalmente: desenvolver uma carreira naquilo que lhe traz prazer, uma profissão que é uma distração, um entretenimento, uma realização pessoal.

Quando você realiza um trabalho de que gosta, não é sacrifício nenhum trabalhar longas horas. Por isso, você tem uma obrigação consigo mesmo para a sua felicidade: encontrar um trabalho em que você se realize plenamente. Napoleon Hill declarou:

> O indivíduo que faz o que ama fazer é recompensado com dois prêmios: primeiro, porque o trabalho em si lhe traz uma grande sensação de felicidade, a qual é inestimável. Segundo, os seus rendimentos financeiros, quando distribuídos por uma vida inteira de esforços, são em geral muito maiores em volume e melhores em qualidade, quando comparados àqueles executado por outros interesses.

Não importa sua área de interesse profissional ou empresarial, lembre-se de que você nasceu com uma vocação. Você é dotado de aptidões, dons e talentos exclusivos. Esses dons são seus, são únicos, ninguém pode tirá-los de você. Por outro lado, ninguém pode desenvolvê-los por você. No momento em que conseguir transformar em moeda os dons naturais que Deus lhe deu, você transformará o seu trabalho em fonte de prazer, satisfação e realização. Dessa forma, você se transformará em uma pessoa mais saudável, mais rica e muito mais feliz.

Uma fórmula de sucesso

Noto que os profissionais em geral se sentem bastante talentosos, instruídos e competentes. Alguns são muito qualificados academicamente e se orgulham de seu grande "potencial". Contam com um currículo invejável, repleto de cursos, pós-graduações, mestrados, e até o cobiçado MBA feito no exterior. Alguns, porém, ainda não aprenderam a multiplicar seus talentos e convertê-los em moeda.

Há outros que sempre desejaram possuir um negócio próprio, mas não sabem por onde começar. E também aqueles que já se aventuraram em um voo solo, mas, sem a estrutura, a experiência e o apoio necessários, fracassaram e acabaram perdendo suas economias, a esperança e a autoestima.

Há ainda aqueles que já venceram no mundo corporativo e agora buscam no empreendedorismo novos desafios em um ambiente seguro, saudável e ao mesmo tempo estimulante. Para as pessoas que se encontram nesse momento de vida, costumo recomendar o sistema de *franchising* como a opção ideal para seu crescimento pessoal, profissional e financeiro.

Após 25 anos de experiência nesse setor, considero-me um verdadeiro apaixonado pelo sistema de franquias. Em minha opinião, essa é a forma mais segura e rentável de abrir o próprio negócio. As estatísticas indicam que 80% das empresas abertas no Brasil fecham as portas logo nos primeiros anos. Já no setor de franquias, 90% dos negócios vencem a etapa de mortalidade inicial e se perpetuam como um negócio bem-sucedido. A explicação para esse fenômeno surpreendente é o fato de o indivíduo utilizar uma marca com renome nacional, com uma linha de produtos e serviços já desenvolvidos, com programas de treinamento constantes, e tudo isso, aliado à transferência de *know-how* de gestão e campanhas publicitárias de alto nível para promover o negócio em grande escala.

Com todos esses incentivos, não é de admirar que nos últimos cinco anos tenhamos formado tantos novos milionários. Esses vencedores emergentes são otimistas, corajosos, ousados, extremamente dinâmicos e têm uma garra que os impulsiona fortemente a alcançar grandes conquistas. São empreendedores motivados pelo espírito de atender o cliente com prontidão, excelência e alegria. Eles apostaram no segmento de ensino, acreditaram em si mesmos e estão colhendo o fruto do próprio investimento.

São pessoas que aproveitam o fato de o Brasil viver seu melhor momento de estabilidade econômica dos últimos anos, com uma classe emergente de aproximadamente 40 milhões de novos consumidores com recursos no bolso e ávidos por adquirir novos produtos e serviços. Nossa economia está caminhando a passos acelerados para ocupar a quinta posição mundial.

Quando um país vive um momento de prosperidade, as fortunas trocam de mãos. Com toda essa riqueza em nosso país, não é de admirar que, diariamente, surjam vinte novos milionários brasileiros ao nosso redor. E, sinceramente, espero que em breve você faça parte desse seleto grupo de novos milionários brasileiros!

Para despertar o milionário que há em você, lembre-se:

- Transforme seu dom natural em fonte de renda.

- Desenvolva uma carreira naquilo que lhe traz prazer.

- Multiplique seus ganhos por um canal de distribuição de grande escala.

Mentalize:

- Sou capaz e inteligente.

- Possuo uma vocação valiosa.

- Sou dotado de aptidões e habilidades exclusivas.

Capítulo 13

Seu sonho já começou

A vida é curta demais. Não corra o risco de passar seus dias apenas afinando seu instrumento, sem jamais fazer um grande espetáculo. Não condicione sua felicidade a nenhum acontecimento futuro. Alguns se iludem, pensando que só serão felizes depois da formatura, depois do casamento, depois que conseguirem aquela promoção, depois que comprarem um carro novo, depois que os filhos crescerem, depois que os netos vierem, depois que se aposentarem.

Alguns esperam encontrar a felicidade somente depois que deixarem esta vida. Se você espera encontrar a felicidade quando estiver totalmente isento de preocupações, dúvidas e adversidades, tenha certeza de que esse dia jamais virá.

Por isso, comece já a fazer da sua vida aquilo que você sempre sonhou: pode ser encontrar a pessoa amada, reiniciar um relacionamento amoroso, construir um império, trazer filhos ao mundo, ter mais saúde, recuperar-se emocionalmente, reconquistar a autoestima e o amor-próprio, alcançar paz de espírito. Não importa qual seja, seu sonho deve trazer a você uma sensação íntima de seguir um destino, de ter um propósito, como se sua vida fosse uma missão a ser cumprida.

Transforme seu sonho em uma causa, pois assim você terá uma razão extra para se doar, para se entregar a ele. Essa causa deverá envolver seu desenvolvimento pessoal e o crescimento de outras pessoas.

Uma causa é algo maior que você mesmo. Com essa visão, você terá mais força interior para resistir ao desânimo e às adversidades normais encontradas pelo caminho. O valor da causa é maior que o valor de um empreendimento, pois uma causa verdadeira continuará por muito tempo, mesmo depois de termos deixado esta existência terrena.

Por isso, comprometa-se com você.

Prometa a si mesmo

Prometa vencer a si mesmo fisicamente. Pense na ginástica que seu ídolo faz diariamente para manter a forma. Se você não for uma celebridade, não precisa fazer o mesmo. Basta controlar sua alimentação diária e submeter-se a um programa regular de exercícios. Caminhar ainda é a melhor forma de exercitar-se. O desejo de vencer é o segredo do sucesso.

Prometa vencer a si mesmo emocionalmente. Controle suas emoções e suas reações diante de adversidades. Respire fundo, conte até dez. Controle seu ambiente. Não permita que o ambiente controle você.

Prometa vencer a si mesmo nas atitudes. Seu dinamismo, positivismo e entusiasmo serão as maiores ferramentas para suas realizações. Sua atitude no dia a dia determinará sua altitude na escalada da vida.

Prometa vencer a si mesmo nas ações. Planejar é bom. Organizar-se é recomendável, porém seja firme na hora de executar. Não tema errar. Pior que errar é não tentar. Por isso, acima de tudo, faça.

Prometa vencer a si mesmo na disciplina. Semeie pensamentos e colha ações; semeie ações e colha hábitos; semeie hábitos e colha um caráter; semeie um caráter e colha um destino eterno.

Prometa vencer a si mesmo em princípios. Você só alcançará sucesso duradouro se suas ações forem regidas por princípios dignos, retos e justos.

Prometa vencer a si mesmo profissionalmente. Decida fazer aquilo de que gosta, aquilo que lhe dá prazer, aquilo que eventualmente lhe trará reconhecimento e um retorno financeiro satisfatório.

Prometa vencer a si mesmo financeiramente. Mais importante que ganhar é saber como guardar o dinheiro. Desenvolva o hábito de economizar regularmente parte do que você ganha. Afinal, para acumular 100 reais, é preciso primeiro guardar 10 reais. Para obter 1.000 reais, é preciso primeiro guardar 100 reais. E assim sucessivamente.

Prometa vencer a si mesmo mentalmente. Como arquiteto de seu destino, utilize a argamassa dos bons pensamentos para construir a obra-prima de sua vida. Habitue-se a nutrir pensamentos elevados, nobres e edificantes. A boa leitura lhe ajudará muito nesse objetivo.

Prometa vencer a si mesmo espiritualmente. Procure descobrir o propósito de sua vida, viver em comunhão com o Criador, receber orientação divina e seguir uma vida de fé.

A felicidade é uma escolha

Para ser feliz, você não precisa ser o maior artista, cientista, atleta ou o maior empreendedor do mundo. Um indivíduo pode ser feliz trabalhando no campo, cuidando da colheita e dos animais.

A beleza, como a felicidade, está nos olhos de quem a contempla. Assim, a felicidade é encontrada por aqueles que a procuram nos detalhes simples de cada dia. Como disse Abraham Lincoln: "Uma pessoa é tão feliz quanto se propõe a ser".

Por isso, não espere para ser feliz em um tempo futuro, depois de ter realizado todos os seus sonhos. A felicidade não se encontra em um destino final, mas no dia a dia, ao longo do caminho.

Como todos os estados de espírito, a felicidade é uma escolha. Desse modo, escolha ser feliz hoje mesmo. Esse parece ser o segredo daqueles que mantêm a juventude, não importando a sua idade cronológica.

Lembre-se de que seu maior sonho é encontrar a felicidade, mas a verdadeira felicidade se encontra nos imensos territórios da alma, onde todo o dinheiro do mundo não tem valor.

Muitas pessoas buscam alcançar fama, dinheiro, *status* e poder como meta mais importante na vida. Não se esqueça, porém, de que felicidade e dinheiro não são sinônimos. Há muitos milionários derrotados e há muitos indivíduos bem-sucedidos que não possuem fortuna.

Sua maior fortuna

Com frequência, os jornalistas me perguntam: Qual é o tamanho de sua fortuna? Quando isso acontece, retiro o celular do bolso e mostro a foto de minha família. Essa é minha maior fortuna.

A vida foi feita para o homem e não o homem para a vida. Nunca se pretendeu que se esgotasse sua vida somente trabalhando, perdendo a própria personalidade em meio à busca de bens materiais, reconhecimento, poder ou fama.

Por isso, não viva para trabalhar, mas trabalhe para viver. Afinal, de que adianta você ser o homem mais rico do mundo em um cemitério?

Logan Pearson Smith disse: "Há dois objetivos para serem atingidos na vida. Primeiro, conseguir o que se quer. Segundo, desfrutar do que se obteve. Apenas os mais sábios realizam o segundo".

A vida é apenas uma gota no oceano da imensa perspectiva da eternidade. Não há nada mais extraordinário que estar vivo e desfrutar deste mundo cheio de emoções, aventuras e progresso.

Um sonho possível

A vida em si já é um grande sonho. Então, enquanto você avança rumo à realização de seus grandes empreendimentos, sejam eles quais forem, procure viver um sonho possível a cada dia.

Procure entender melhor a si mesmo, pois assim entenderá melhor o mundo em que vive. Aceite a si mesmo plenamente, desse modo, saberá aceitar as pessoas ao seu redor.

Cuide melhor de si mesmo, assim estará mais apto de cuidar de seus semelhantes.

Seja paciente e tolerante consigo mesmo e com as pessoas ao seu redor, pois compreenderá que todos têm suas limitações e às vezes erram inconsciente ou involuntariamente.

Procure elogiar antes de criticar alguém, pois, para cada defeito, o ser humano possui dez virtudes.

Saúde a si mesmo pela manhã com alegria, entusiasmo e um sorriso, desse modo, transmitirá alegria e entusiasmo em todos os seus relacionamentos.

Expresse, em palavras, o carinho, a estima e a admiração que sente pelas pessoas que ama, pois elas são as mais importantes do mundo para você.

Agradeça ao Criador pelas bênçãos incontáveis que recebe e até pelas bênçãos que você é incapaz de perceber ou compreender que Ele lhe concede.

Ame a si mesmo e a seus semelhantes, pois assim estará cumprindo o desígnio do Criador.

Agindo dessa maneira, você estará realizando o maior de todos os sonhos: o de ser feliz a cada dia.

Siga adiante, comemorando o dom da vida, guiado pelo brilho da própria estrela, inspirado em novos horizontes e cenários que possibilitaram despertar em você um novo milionário para fazer deste mundo um mundo melhor.

Para despertar o milionário que há em você, lembre-se:

- Aceite a si mesmo plenamente.
- Cuide melhor de si mesmo.
- Ame a si mesmo.

Mentalize:

- Eu escolho ser feliz.
- A minha maior fortuna é minha família.
- O momento de viver meus sonhos é agora.

Para ler o código abaixo, baixe em seu celular, smartphone, tablet ou computador um aplicativo para leitura de QR code. Abra o aplicativo, aponte a câmera de seu aparelho ou a webcam de seu computador para a imagem abaixo e acesse mais conteúdo sobre esta obra, que seria impossível constar em um livro de papel como este.

Este livro foi impresso pela
Prol Gráfica em papel *offset* 75 g.